Buchheit

RAINER MARIA RILKE

GERT BUCHHEIT

RAINER
MARIA RILKE

1947

HEINRICH HEINE-VERLAG · MENGEN

SCHUTZUMSCHLAG VON ERWIN MAIER

INHALT:

ABBILDUNGEN:

»Du sollst nicht gerecht sein gegen ihn:
denn wohin kämen die Besten von uns
mit der Gerechtigkeit; aber denke an ihn,
wie er die Stunde war, da du ihn am tiefsten liebtest . . . «   JAKOBSEN.

»Errichtet keinen Denkstein. Laßt die
Rose nur jedes Jahr zu meinen Gunsten
blüh'n . . . «

Aus den »Sonetten an Orpheus«.

Wenn jemand die Legende eines Menschen erzählt, dessen
Andenken seit Jahrhunderten im Volke heilig ist, so bedarf
es zu einem solchen Beginnen keiner Begründung, besonders dann nicht, wenn der Erzähler jene Ehrfurcht bewahrt,
die wir dem geliebten Namen schuldig sind.

Was aber auf diesen Blättern berichtet werden soll, ist
keine Legende, sondern mehr und weniger. Zwar liegt das
Kupfergrün des Gewesenen wie ein verklärender Hauch über
dem Werke ausgebreitet, von dem die Rede sein wird, aber
der Mensch, der eben dieses Werk, mit seinem Herzblut
durchtränkt, in den Wandel unserer Tage eingefügt hat,
steht uns noch ganz nahe: sein Schatten liegt noch auf den
Wegen, die er als Jüngling, als Mann beschritten. Seine
Briefe ruhen noch, warm von der Glut ihrer Beredsamkeit,
in Händen, die er einst in den seinen gehalten. Er weilt noch
ganz unter uns, als Erinnerung, als Mahnung, als Geschenk,
als Zeugnis. Rainer Maria Rilke ist, solange sein Leben währte,
von keiner größeren Gemeinde beachtet worden. Erst als
die Kunde von seinem Tode durch den grauen Dezembertag
des Jahres 1927 lief, begann die Welt zu erkennen, was sie
in ihm verloren hatte. Die jungen Menschen, die mit heißen
Augen den „Cornet" gelesen, die Frauen und Mädchen, die
das „Stundenbuch" geliebt, die Maler und Dichter, die in
den „Aufzeichnungen des Malte Laurids Brigge" das Selbst-
bekenntnis eines Mitleidenden und selbst Leidenden, eines

11

Märtyrers der Beobachtung gefunden, trauerten in schmerzlichem Erschrecken über das jähe Zerbrechen der vergänglichen Form, die auf eine Zeitlang der Aufenthalt so hohen Geistes gewesen. Gespräche hüllten sein Leben in eine Wolke von Legenden und Erfindungen. Berichte kündeten von seiner irdischen Wanderschaft. Bilder wurden nach seinem Antlitz gezeichnet, bis uns fast nichts mehr fremd und verschlossen war als allein der göttliche Funke, der in diesem schwachen Leibe die Macht des Liedes entzündete.

Inzwischen hat die Anziehungskraft des Dichters, obwohl seit seinem Tode zwanzig Jahre verflossen sind, keineswegs nachgelassen. Im Gegenteil, seine Farbe ist leuchtender geworden. Sein Umriß formt sich in deutlicheren Linien aus und seine Kräfte sind eher noch reicher entfaltet.

Ein Leben voll verschlossener Würde und klarer Zucht steht vor uns. Das Geheimnis lebendig entwickelter Form hat sich zu letzter Reife erhöht.

Da ist es ein schweres und ernstes Unterfangen, jetzt schon von dem Sinn dieses Daseins zu berichten. Ja, man wird es vielleicht Vermessenheit nennen, das Einzigartig-Einheitliche dieses Werkes in Begriffe und Stimmungen aufzulösen und diese als Kern des künstlerischen Schaffens selbst auszugeben. Aber gibt es überhaupt einen anderen, einen besseren Weg für den, der eine künstlerische Erscheinung bis in ihre Ursprünge verfolgen will als diesen — von uns wegzuführen hin zu dem Bildnis des Menschen, als sei es „ein noch einmal zurückkehrendes, aber zart geöffnet ins Zunehmen", — hin zu dem Dichter und seinem „gewaltigen, die Seele einer künftigen Zeit offenbarenden" Werk?

Die Leidenschaft dieses Buches heißt Rilke. Denn ihn allein, sein Wort, seine Stimme, sein Lied will es unserer Liebe näherbringen.

DER JUNGE RILKE

Ohne Pathos, ohne revolutionäre Geste, voll bedachter
wachsamer Helle und mit jedem Wort zu untragischem
Erobern bereit betrat der junge René Maria Rilke kaum
zwanzigjährig die Bühne des literarischen Europa. Anspruchs-
los, im Tone des Volksliedes, erzählten seine ersten Gedichte von Erinnerungen an das alte Prag, von Wanderungen
durchs tschechische Land, in dem über braungedunkelte Ma-
donnen sich wunderweiße Nächte spannen, und mehr noch
von den Träumen und Sehnsüchten, wie sie durch eine heiße
junge Seele gehen. Aber die musikalisch-zarte, auf die
Nuance abgewogene Fassung, in der „diese versunkenen
Sensationen einer weiten Vergangenheit" vorgetragen werden, verrät ein eigenwilliges Können, das seinem Ursprung
und seiner Absicht nach mit keiner besonderen Schule in
Zusammenhang gebracht werden kann.[1]

Wer Rilkes Bildnis aus dieser Zeit: den schlanken Wuchs,
durchpassioniert die Züge, darin verglühend die Ekstase der
Jugend im Ansturm der Dämonie des Mannes, wer dieses
weiche, jeder Frische und Strenge entbehrende Antlitz mit
dem Porträt des Fünfzigjährigen vergleicht, wird spüren,
unter welch gewaltigen Erschütterungen dieses Leben aus
dunklen Kindheitstagen in die klösterliche Abgeschiedenheit von Siders hinüberreifte.

[1] Leben und Lieder 1894. — Wegwarten 1895. — Larenopfer 1896. —
Traumgekrönt 1897. — Advent 1898. — Mir zur Feier 1899.

15

Denn in keinem Augenblick seines Lebens scheint dieser verhaltene Mensch, dieser Grandseigneur aus Blut und Willen, ein Fertiger. Ein Bauender vielmehr träumt er sich zu vollenden im Ringen mit immer reiferen Gegnern. Denn sein Wachstum ist: „der Tiefbesiegte von immer Größerem zu sein."

Mit einem Aufbegehren des Blutes begann er, mit einem langsamen und fast grausamen Bewußtwerden seines Erbes. Die nervöse Geistigkeit alter Rasse brannte durch seinen Körper, bis er ganz Sensibilität, ganz frauenhafte Sehnsucht ward. In dieser biologischen Macht, deren Unerbittlichkeit wir aus Thomas Manns Dichtungen kennen, wurzelt Rilkes ernste, noch im späten Mannesalter nicht verleugnete Pietät allem Vergangenen gegenüber, jenes zwingende Zugehörigkeitsgefühl zu seinen Vorfahren, das ihn — nach seinen eigenen Worten — zwei Leben führen hieß, eines nach vorne und eines tief zurück in die Vergangenheit. Oder war es, neben dieser persönlichen Ursache, mehr der überpersönliche Grundakkord der Dekadenz, der auch ihn und gerade ihn, das allersensibelste Instrument, verlockte, seinem eigenen Ursprung nachzugrübeln und Antwort zu geben jedem Zweifel, jeder Frage, jedem Eindruck?

Sicher hat auch das unerfüllte Heimweh nach Gemeinschaft, Opfer und Gebild, das Bewußtsein bloßer Erkenntnis ohne Tat die schwermütige Resignation vertieft, ohne die Rilkes Anfang nicht zu denken ist. Ja, es scheint uns, — wenn wir das Gesamtwerk des Dichters überblicken — geradezu als ein wohlüberlegter Schachzug des Schicksals, daß dieses Leben mit einem solch ängstlichen Adagio einsetzte: mit einem Ordnen der Kräfte, mit einem langsamen Eindringen und Überwinden der Welt, damit die letzte großartig kühne Synthese östlicher Religiosität und westlicher

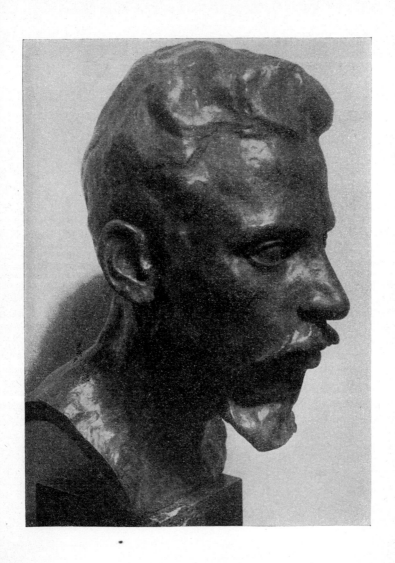

RAINER MARIA RILKE
Porträtbüste von Clara Rilke-Westhoff

Kunst zustandekommen konnte, als die wir des Dichters Werk heute betrachten.

Zwar muten uns die ersten dichterischen Selbsterprobungen, die frühen novellistischen Versuche noch wie Findlinge an, die des Jünglings erwachender Schaffensimpuls hinausgeschleudert hat um seine Kraft auch an dieser Form zu erproben. Denn das Thematische, das aus diesen lyrischen Gesprächen heraufklingt, erschöpft sich in sorgsam gestalteten Variationen zu Thomas Manns „Tristan" sowie in zarten Andeutungen und Verschwiegenheiten, in deren Mittelpunkt das von der Neuromantik umschmeichelte Motiv des Hinsterbens, des Welkens und Entgleitens steht.

Es sind einsame Menschen, die durch diese Bücher gehen, einsam wie der Dichter selbst, und die Last ihres Geschlechts, ihrer jahrhundertelangen Entwicklungen, in denen Feldherrn, Bischöfe und Könige sind, erstickt jede frohe Welle in ihren Herzen. Das konservative Element in ihnen widerstrebt der nüchternen Gegenwart, deren grelle Aufdringlichkeit und Zerrissenheit sie aufs tiefste beunruhigt.

> „Was reißt ihr aus meinen blassen, blauen
> Stunden mich in der wirbelnden Kreise
> wirres Geflimmer?
> Ich mag nicht mehr euren Wahnsinn schauen.
> Ich will wie ein Kind im Krankenzimmer
> einsam mit heimlichen Lächeln, leise,
> leise — Tage und Träume bauen...."

Und es bleibt ein Fingerzeig in das Kommende, ein Glockenschlag von winterlichen Türmen in eine neue, andere Zeit, jene Elegie „Am Leben hin", aus der sich im Tone Jens Peer Jakobsens zarte Hinweise auf das Gottsuchertum des

„Stundenbuchs" erheben, jenes verhaltene Requiem „Sterbetag" und jene Vision der „Greise", deren Leben sich in einer dämmernden Gebärde ohne Schmerzen auflöst.

Denn noch ist alles nur Atmosphäre, nur Gesang einer seltsamen Altstimme, die mit einer verzagenden Schwermut abbricht. Fläche bleibt alles: die Häuser, die Helden, der Abend und der Traum.

Es ist die Geste der Abwehr, die vernehmlich hinter diesen sinnschweren Präludien eines Jünglings steht, die Geste eines, der auf Wünsche hinhorcht, die noch im Morgen liegen, während er doch als der Letzte eines alten Geschlechts eine Auseinandersetzung mit der Welt als Faktum nicht mehr nötig hat. Wir wissen aus den Erwähnungen seiner Freunde und aus den Bildern, die uns von ihm überliefert sind, daß Rilke in jedem Sinne ein Edelmann war, ein Edelmann, in dem — wie das Meer in der Muschel — das Blut der Jahrhunderte rauschte. „Man fühlte den Edelmann des Blutes, der Gedanken, der Empfindungen; das Persönliche stand angenehm in Gesellschaft. Das Ungewöhnliche lebte eingezogen, aber man spürte es auch an der Unmerklichkeit, die sein Instinkt, stets seelenwärts lebend, das Öffentliche fürchtend, ihm verlieh wie einen Heiligenschein, aus tonlosem Gold — dem alten Golde, das der Menge nicht sichtbar wird." (Wilhelm Hausenstein.)

Und dies ist wohl auch der Grund, weshalb der junge Rilke — beunruhigt durch die gefährlichen Mischungen ferner und seltsam fremder Ahnen, die er im Blute trägt — immer und immer wieder jene Probleme aufgriff, die um die unentwirrbaren und quälenden Zusammenhänge von Jugend und Altern, Aufstieg und Niedergang, Lebenswirklichkeit und Künstlertum kreisen. Denn für den letzten

Sohn altadligen Hauses gibt es keine Vergangenheit, die nicht zugleich Zukunft wäre. Harnisch und Mitra verblassender Ahnenbilder künden von Menschen, die in ungebrochener Lebendigkeit mit ihm Zwiesprache halten, und die vergilbten Briefe in den Vitrinen erzählen von Schicksalen, die noch in seinen Träumen nachzittern. Das Rätsel der Vererbung, der Wiederkehr und Wandlung der menschlichen Natur, das Fragespiel zwischen Blut und Geist, zwischen Seele und Gesetz verlockte seine unklar tastende Kraft sogar zu dramatischen Experimenten, die jedoch seine ausschließlich lyrische Begabung nicht zu bewältigen vermochte.

Wie schon die Titel erahnen lassen — „Frühfrost", „Ohne Gegenwart", „Das tägliche Leben" — handelt es sich in diesen „Dramen" meist um die Gefühlswiedergabe blasser, verschwebender Figuren, deren Träume an der harten Wirklichkeit zerbrechen. „Zu müde bereits, zu edel zur Tat und zum Leben" pflegen sie einzig ihre inneren Erlebnisse, verfeinern und veredeln sie, auch wenn damit eine Herabminderung ihrer körperlichen Energie, ihrer Vitalität verbunden ist. Sie erinnern darin an Charaktere des Engländers John Milton, von denen Macaulay sagt, daß sie „zu stolz und zu fühlsam sind um glücklich zu sein."

Es ist darum auch kaum die tadellose Geschmeidigkeit der Form, die uns an diesen wunderlich-mittelbaren, durchaus gleichnishaften und auf hohe Weise musikalischen Zeugnissen Rilkescher Frühkunst berührt, auch nicht der Sonderfall einer außergewöhnlich sensitiven Veranlagung, sondern in erster Linie die erhabene Selbstverbannung einer Seele, die das Bild der eigenen Einsamkeit nach außen wirft um ihre Not tausendfach wieder zurückzuerhalten.

„Das Eigene, das Echte, Tiefe und Kräftige, das wird nur in der Einsiedelei geboren. Der Künstler ist immer der wahre Einsiedler. . . . Sehen Sie, da kommt dann der heilige Geist, wenn man so einsam ringt und wühlt . . . Da ruht man im Ewigen und da hat man's vor sich in Ruhe und Schönheit." Vorausgesetzt — so würde Rilke diesen Worten Gerhart Hauptmanns hinzufügen —, daß man rechtzeitig seine schicksalhafte Sonderung bejaht und den Weg aus der Einsamkeit des Wesens in die tiefere Einsamkeit der Tat und des Werkes zu Ende geht. Diese Erkenntnis, früh gewonnen und durch Leid erhärtet, machte Rilke zum Virtuosen der Einsamkeit. Ja, es gibt wohl kaum einen zweiten Dichter in der Weltliteratur, der diesen seelischen Bereich so konsequent und unbeirrt trotz aller Verlockungen bis an seine äußersten Grenzen durchmessen hat wie Rilke. Mit einer geradezu mönchischen Härte verzichtete er nicht nur auf jede billige Übereinstimmung mit dem Nächst-Besten, er setzte sich auch in Widerspruch zur bestehenden Gesellschaftsordnung, zu den anerkannten Gewohnheiten und öffentlichen Erscheinungsformen seiner Zeit.

Dieser Mut zum Abseitsstehen, diese Bejahung des Verkanntwerdens, diese stolze Haltung allen banalen Verlockungen gegenüber prägte wohl auch Rilkes Zügen jenen schwermütigen Ernst auf, den er mit allen großen Einsamen gemeinsam hat. Wo wir von Dichtern reden, von Virgil oder von Dante, von Tasso oder von Leopardi, stets begegnet uns das nämliche fremde, trauernde, schweigend nachdenkliche Antlitz.

> „Er lag. Sein aufgestelltes Antlitz war
> bleich und verweigernd in den steilen Kissen,
> seitdem die Welt und dieses von ihr Wissen
> von seinen Sinnen abgerissen,
> zurückfiel an das teilnahmslose Jahr.

Die, so ihn leben sahen, wußten nicht,
wie sehr er eines war mit allen diesen,
denn dieses: diese Tiefen, diese Wiesen
und diese Wasser waren sein Gesicht.

O sein Gesicht war diese ganze Weite,
die jetzt noch zu ihm will und um ihn wirbt,
und seine Maske, die nun bang verstirbt,
ist zart und offen wie die Innenseite
von einer Frucht, die in der Luft verdirbt."

Solche Verse, schon gänzlich dem Irdischen entrückt,
offenbaren deutlicher als alle Worte die Größe der Einsamkeit, die der Dichter auf sich genommen, als er den Weg
zu beschreiten begann, auf dem er hinabstieg zur Region der
Mütter. Es war ein dornen- und schluchtenreicher Weg, der
selbst dort, wo er die Gefilde des Elysäischen berührte, noch
vom dunklen Wellengang des Acheron begleitet wurde.

Hören wir, was er selbst in einem Briefe an einen jungen
Dichter davon sagt: „Es gibt nur eine Einsamkeit und die
ist groß und ist nicht leicht zu tragen, und es kommen fast
allen Stunden, da sie sie gerne vertauschen möchten gegen
irgendeine noch so banale und billige Gemeinsamkeit, gegen
den Schein einer geringen Übereinstimmung mit dem Nächst-
Besten, mit dem Unwürdigsten . . . Aber das sind gerade die
Stunden, wo die Einsamkeit wächst; denn ihr Wachsen ist
schmerzhaft wie das Wachsen der Knaben und traurig wie
der Anfang des Frühlings, aber das darf Sie nicht irre machen.
Was not tut, ist doch nur dieses: Einsamkeit, große innere
Einsamkeit. In-sich-gehen und stundenlang niemanden be-
gegnen, das muß man erreichen können. Einsamkeit, wie
man als Kind einsam war, als die Erwachsenen umhergingen,
mit Dingen verflochten, die wichtig und groß schienen, weil

die Großen so geschäftig aussahen und weil man von ihrem Tun nichts begriff. Und wenn man eines Tages einsieht, daß ihre Beschäftigungen armselig, ihre Berufe erstarrt und mit dem Leben nicht mehr verbunden sind, warum dann nicht weiter wie ein Kind darauf hinsehen als auf ein Fremdes, aus der Tiefe der eigenen Welt heraus, aus der Weite der eigenen Einsamkeit, die selber Arbeit ist und Rang und Beruf? Warum eines Kindes weises Nichtverstehen austauschen wollen gegen Abwehr und Verachtung, da das Nichtverstehen Alleinsein ist, Abwehr und Verachtung aber Teilnahme an dem, wovon man sich mit diesen Mitteln scheiden will."

Solche Briefstellen legen das Herz dar. Denn so sehr auch in ihnen die Stimmungen des Augenblicks mitschwingen, dieser Ton trügt nicht. Er offenbart unverfälscht die adlige Kühle eines, der zuviel weiß als daß es anders sein könnte, ein äußerstes Mißtrauen gegen alles Laute und Öffentliche, in dessen Umgebung wohl die Fragwürdigkeiten der Literaten, aber keine ernste Kunst gedeihen kann, und nicht zuletzt — die Größe der Gesinnung, mit der der Dichter die selbstgewählte Verbannung eingehen läßt in die Herrlichkeit einer Aufgabe.

Etwas Ergreifendes liegt in diesen sanften, aber unerschütterlichen Erwägungen, die als die e i n e beherrschende Melodie durch die Novellen und Dramen hindurchgehen und schließlich in der Lyrik ihre höchste künstlerische Formung finden.

Diese subtile und in einem höchsten Sinne persönliche Kunst — schon ihrem Umfange nach Rilkes Hauptwerk — verdeutlicht uns am besten den Weg seiner Entwicklung. Von den ersten Stimmungsbildern in der „Jugend" bis zu dem 1902 erschienenen „Buch der Bilder" beobachten wir trotz aller motivischen Verkleidungen eine wachsende Klärung seines Verhältnisses zur Welt, zu sich und zur Aufgabe, die ihm sein Genius gestellt hat.

Lyrischen Wissens durch und durch, das war der junge Rilke. Klanghafte Hingabe an die Motive, die ihn reich aufquellend überkamen. Zwar gleißt noch viel Blitz-Flüchtiges in ihm, viel Fluten und Wogen, das von der unbewußten Reinheit seines Wollens zur Ruhe gewiegt sein will. Aber man hört das schlagende gangwirkende Herz, aus dem, tiefer als Wissen, der Sang emporsteigt, und man liebt diesen Ton sehnsüchtiger Jugend, seine sanfte musikalische Linienführung, in der etwas vom zuversichtlichen Märchenausgang ist. Man lauscht betört diesem Rauschen, überläßt sich willig dem Atem einer noch göttlich warmen Seele, und doch — wenn man genauer hinhört, ist das Rauschen verklungen.

So sind diese Verse wie rinnende Bäche, die sich irgendwo in abendlichen Wiesenfluren verlieren — Dichtungen voller Nachklang, Stille und Ungewißheit — Pausen, Intervalle, die das Leben einmal in uns zu Ende singt. Denn nicht ihr Inhalt ist es, der uns gefangen nimmt, — der Duft ist es, der von der Entstehungsstunde her noch in ihnen ist, als habe „der sie schuf, nicht an viele gedacht, vielleicht nur an eine nahe Hand, die Liebes zärtlich zu halten weiß."

Da ist vor allem Prag, die heilige Stadt der Väter, deren Mauern das Echo seiner ersten Schritte wiedergaben. Unerschüttert steht es da, ein Epos der Baukunst, und doch blutend im Zwiespalt der Völker, die in ihm schaffen, lieben und hassen. Wenn der Abend seine Schleier um die alten Kirchen und verlorenen Gassen zieht, dann öffnet sich der innerste Blick dieser Stadt und wird groß und nimmt die Sehenden ein in sein Blut. Ein alttestamentarischer Klang, eine Klage aus Kriegsnot, ein Volkslied, heimlich und voller Mädchenliebe, webt um die Brunnen, und dem Dichter fließen mit diesen Klängen die Verse zu wie die Wellen eines Meeres an herbstlicher Küste.

> „Traumselige Vigilie,
> Jetzt wallt die Nacht durchs Land,
> Der Mond, die weiße Lilie,
> blüht auf in ihrer Hand...."

Und selbst noch, wenn alles im Bartuch der Nacht eingefangen ist, und keine Sterne mehr durch die Wolken brechen, bleibt eine Stube voll fernster Heimlichkeiten: uralte Glasschränke bergen wunderliche Dinge und aus den Spitzendecken der Polsterstühle heben sich Arabesken wie Schriftzüge halbverblichener Chroniken.

„Ich kann mich noch erinnern. Da hatte jedes Ding einen besonderen Sinn und es gab unzählbar viele Dinge. Und keines war mehr im Werte als ein anderes. Gerechtigkeit war über ihnen. Jedes durfte einmal das einzige scheinen, durfte Schicksal sein: ein Vogel, der in der Nacht geflogen kam . . . ein Buch, in dessen Blättern eine Blume lag . . . ein Kieselstein in fremder, deutsamer Gestalt..." Wir werden noch erfahren, wie diese Liebe zur alten dunklen Stadt mit ihren tausendfältigen Kostbarkeiten, fest eingegraben in den Grund seines Herzens, dem Dichter zu einer seelischen Lebenskraft werden sollte, die seine Kunst bis zuletzt beispiellos rein und prophetisch groß erhielt.

Noch zwar bezaubert die Musik, das slawische Chopin-Erbe mit seiner herben Weichheit, bald verträumt und versonnen, bald ritterlich prunkvoll, das junge Herz, so daß seinem Lautenspiel nur Töne entrinnen, deren Zartheit noch nichts vom Überfluß ahnen läßt, den sie dereinst ausströmen werden.

„Als du mich einst gefunden hast,
da war ich klein, so klein,
und blühte wie ein Lindenast
nur still in dich hinein.

Vor Kleinheit war ich namenlos
und sehnte mich so hin,
bis du mir sagst, daß ich zu groß
für jeden Namen bin.

Da fühl' ich, daß ich eines bin
mit Mythe, Mai und Meer
und wie der Duft des Weines bin
ich deiner Seele schwer...."

Sind solche Lieder nicht köstliche Verführungskünste der Sinne? Musikstücke, die man, fern jeder logischen Erschliessung, rein durch das Ohr allein schon verstehen kann? Manchmal schwingen sie vollendet in reichen Kontrasten, manchmal auch verklingen sie, in Ermangelung eines Alles umfassenden Blicks, müde und langsam in sich selbst. Alle aber beginnen mit einem dunklen „Es war einmal" oder mit einem hellen singenden „Es wird einmal sein". Ein Schloß ersteht der Erinnerung, das vergehende Wappen über dem Tor. Ein Engel trägt Gebete über der Wälder Ragen in die Heimat der Cherubim. Der Wind erwacht und kommt ganz sacht ins Dorf herein. Oder Schiffe sind da, die mit silbernen Kielen nach heimlichen Buchten treiben, Falter, die aus feuerroter Aster Sterben trinken, und Teiche, auf denen die Funken der Fontäne ihre Spiele ziehen. Auf allen Wegen, in allen Gärten aber wandern Mädchen, schmächtige, verträumte Geschöpfe; denn gerade diesen Werdenden, deren

Wesen „Frühling auf vielen Fährten, aber noch nirgends ein Ziel ist", fühlt sich des Dichters geduldiges Sehnen vertraut. Sie zittern wohl noch vor den kommenden Dingen, aber nirgends ist ein Wind, der sie biegen mag. Sie gehen auf scheuen Schuhen, als ob sie die Kleider preßten, während ihre heißen Hände wie Flammen sind, in der Nacht aber werden Gebete in ihnen groß und steigen bittend empor zur Maria:

„Schau, unsre Tage sind so eng
und bang das Nachtgemach;
wir langen alle ungelenk
den roten Rosen nach.

Du mußt uns milde sein, Marie,
wir blühn aus deinem Blut,
und du allein kannst wissen, wie
so weh die Sehnsucht tut;

du hast ja dieses Mädchenweh
der Seele selbst erkannt:
sie fühlt sich an wie Weihnachtsschnee
und steht doch ganz in Brand..."

Es finden sich viele solcher verträumender Kantilenen der Liebe in des jungen Rilke erster Lyrik. Da ist die „Weiße Fürstin", die mit ihrer Schwester in sehnender Jugend des Geliebten harrt, während auf dem Lande die Pest haust. Das Nahen zweier Mönche der Misericordia, der Anblick ihrer schwarzen Masken, läßt jedoch die Hand erstarren, die zum Winken bereit war. Und das Ruderboot entfernt sich „leiser, ferner und ferner in dem Branden des nächtlichen Meeres".

Eine düstere Trauer, etwa der Maeterlinks in „La mort de Tintagiles" vergleichbar, bildet den Grundton dieses szenischen Dialogs. Eine Trauer, die keine besondere Ursache hat, sondern die angeborene Farbe dieser Jugend ist. Daher herrscht sie auch mehr oder minder in jedem Liede, in jeder noch so entrückten Huldigung an irgend ein menschliches Wesen auf der Erde. Ja, selbst die duftigste, leuchtendste Frucht dieser vorbereitenden Periode, „Die Weise von Liebe und Tod des Cornets Christoph Rilke", wird von ihr bestimmt.

Hier durchflutet das dramatische Geschehen stärker als irgendwo anders das lyrische Verweilen. Hier treibt die Handlung zu Konflikt und Lösung. Daher kann man mit Recht von einer Ballade sprechen, wenn man den Aufbau dieser bald breit dahinrauschenden, bald knapp gespannten Versfolgen näher kennzeichnen will. Ihre stoffliche Gegebenheit liegt ähnlich wie in Rilkes Novellistik weit zurück in der Vergangenheit. In einer dürftigen Notiz der Familienchronik findet der Dichter einen Hinweis auf einen Vorfahr, der kaum zum Jüngling erwacht, als Soldat gefallen ist.

Es heißt dort in der umständlichen und gründlichen Weise des betreffenden Jahrhunderts: „... den 24. November 1663 wurde Otto von Rilke / auf Langenau / Graenitz und Ziegra / zu Linda mit seines in Ungarn gefallenen Bruders / Christoph hinterlassenen Anteile am Gute Linda beliehen; doch mußte er einen Revers ausstellen / nach welchem die Lebensrechnung null und nichtig sein sollte / im Falle sein Bruder Christoph (der nach beigebrachtem Totenschein als Cornet in der Kompagnie des Freiherrn von Pirovano des kaiserl. österr. Heysterschen Regiments zu Roß ... verstorben war) zurückkehrt ..."

Vielleicht hat der Dichter schon lange nicht mehr die alte Chronik in der Hand gehabt. Er kennt sie aber gut, da überkommt ihn die ganze Gewalt des Duftes, der aus den braunen Blättern steigt, alte Träume werden wach und ein paar Bilder erstehen. Die hält er fest, nichts weiter. Er spricht etwas zögernd, weil er selbst nicht weiß, worauf er hinauskommen wird. Da ist die Steppe ... das Marienbild das Wachtfeuer ... die sentimentale Rose, und dann der Übergang: „Einmal am Morgen (es kann nur morgens sein) ist ein Reiter da, und dann ein zweiter, vier, zehn; dann tausend dahinter: das Heer."

Nun wird alles farbenprächtiger, fast gewaltig: der Kampf und dazwischen ein zarter Hauch Liebe mit dem unerhörten Tanzgedicht, in dem alles singt und schwingt (dieses: „bis in die Fingerspitzen so nach dem Bad sein") und dann das jähe Finale mit dem brausenden Tod und den dunklen Takten der Trauer. „Dort hat er eine alte Frau weinen sehen."

In der „Weise von Liebe und Tod" finden wir alles, was der Liebe Licht und Inhalt gibt: den düsteren Schatten unbekannter Gefahr, die verhaltene Glut aufbegehrenden Blutes, die Keuschheit des reinen Menschenglaubens und die Einmaligkeit einer begnadeten Stunde, die vom Tode in Ewigkeit verwandelt wird. Denn kaum hat der Jüngling im Panzer der Spohrschen Reiter zum ersten Male den Becher der Wonne an seine Lippen gesetzt, da ruft ihn schon die Gefahr, die aus tausend blitzenden Türkensäbeln droht, zur letzten Bewährung. Mit der Fahne, die er für Augenblicke vergessen, geht es — „und niemals war sie so königlich" — in den vom Glanze des Liebesfestes umstrahlten Tod.

Die Frauen, die durch dieses männlich-harte Geschehen schreiten, sind von der Lieblichkeit früher Ahnenbilder umgeben. Die Rose, die sie halten, das Taschentuch, das ihren Fingern entfällt, der stumme Blick ihrer Augen, sie scheinen die Wehmut des Mundes zu teilen, der begreift, daß jede Bewegung des Herzens nur ein schmerzlicher und endgültiger Abschied ist. Denn lieben heißt für Rilke „leuchten mit unerschöpflichem Öl", — heißt für ihn „sich liebend vom Geliebten befreien und es bebend bestehen, wie der Pfeil die Sehne besteht um gesammelt im Ansprung mehr zu sein als er selbst."

Man soll mich recht verstehen: in dieser „Weise von Liebe und Tod" singt sich ein großes Sehnen zu Ende, und nur aus ihm heraus formen sich die Zauberworte, glänzend von der Sonne des schönen Augenblicks und doch schon langsam von innen her dunkler werdend in den Farben des Untergangs. Daher zittern auch alle künftigen Motive in ihr, alle Möglichkeiten schweben vorüber wie vorgeahnte Schatten, auf die vielleicht bald schon die erfüllenden Gebärden folgen. In ein paar Molltönen erklingt der Name Gottes wie eine noch unbewußte Voraussage der kommenden Stundenbuch-Melodien. Auch die Madonna erscheint, rosenrot in ihrer Innigkeit und mit einem Blick, als ob sie den Dichter daran erinnern wollte, daß er dereinst ihr Leben aufzuzeichnen habe, und selbst die Brunnen und Säulen und geduckten Hütten legen ihre Konturen vor den Bogen des Himmels und werden Bausteine zu einem Bilderbuch. —

*

Doch wie lange, so fragen wir, wird diese rückwärts gewandte Haltung, dieses lyrische Heimweh nach dem schützenden Blick einer Vergangenheit dem Jüngling genügen, ihm, dessen Blut tief und immer tiefer rauscht, bis es mit verlangendem Branden in fiebrigen Händen pulst? Wird er nicht vielleicht doch in Träumen seine Tage enden und müde wie die Dichter der Dekadenz sein Leben in weichen Rhythmen zu Ende wiegen?

„Noch eine Weile kann ich das alles aufschreiben und sagen. Aber es wird der Tag kommen, da meine Hand weit von mir sein wird und wenn ich sie schreiben heißen werde, wird sie Worte schreiben, die ich nicht meine. Die Zeit der andern Auslegung wird anbrechen, und es wird kein Wort auf dem andern bleiben . . ."

Eine Weile zwar wird der Dichter noch seine Kräfte messen; er wird reisen und wandern mit dem Zug der Vögel; er wird Worte in seinen Alltag stellen und ihren Sinn an dem Glanze des Tones prüfen, der aus seinem Herzen bricht. Eine Weile noch werden alle Sinnbilder dieser Erde ihn umkreisen: Vergangenheit und Zukunft, Kind und Urahne, bis eines Tages der Hörer zum Sager, der Versprechende zum Erfüller, der Erbe zum Eroberer, der Herbst zur Pflugschar wird. Denn wecken, zaubern, rufen und beschwören allein genügen nicht. Man muß frühzeitig Torschluß machen mit seinen Eindrücken und sie in der Stille verarbeiten, muß sich mit Mauern und Gräben umgeben und in Abgeschlossenheit den Kreis seines Daseins langsam und immer dichter mit Blut und Sinn füllen. Mögen die Ziele auch im Unendlichen liegen: es gibt nur e i n Leben, das nicht verarmt: das Leben nach innen.

Die Wahrheit dieser einfachen Ordensregel, deren weise Begrenzung eine hohe Reife bedeutet, muß auch Rilke rechtzeitig empfunden haben. Denn die Gesetzmäßigkeit seines Lebens wird von Stunde zu Stunde immer klarer und sichtbarer, und „wie ein schimmerndes Spinnennetz scheint es sich mit hundert wohlgefügten Fäden an seinen Mauern zu halten. Innige und einfältige Arbeit ist die Wurzel dieses Lebens, und ganz von selbst kommt alles Gute und Große aus ihm heraus: Fleiß und Freude und Frömmigkeit und endlich auch . . . eine Kunst. Eine Kunst, die man von allen

andern nicht trennen kann, weil sie nichts ist als dieses Leben selbst, wenn es blüht" (Rainer Maria Rilke, Worpswede).

Zunächst zwar gab es für Rilke nur eine Pflicht, und die
hieß den Weg abstecken und die Mittel sichten, die zu seiner Erfüllung notwendig waren. Dazu gehörte vor allem
eine große Liebe zur Sprache: ein geduldiges Erforschen und
Durchfeilen ihrer Formen und ein peinlich strenges Erproben ihrer Wirkung. Denn nur auf diese Weise konnte der
Dichter die Fähigkeit erlangen, bis in die kleinste und
feinste Nuance hinein genau zu sagen, was er lebte und erlebte. Da er aber Erfahrungen hatte, die noch nie zuvor
so empfunden und so gewogen worden waren und deren
Erschütterungen noch niemals von solcher Innerlichkeit und
Tiefe waren, mußte sich seine Sprache viele Ausdrücke gleichsam erst erschaffen. Daher fällt bereits in den ersten lyrischen Gehversuchen die kühne Verwendung des Fremdworts
auf, das ohne Störung gewissermaßen heimlich dem Verse
eingegliedert wird, — der Mut zu seltenen Bildern und Vergleichen, — die Goldschmiedsfreude am einzelnen Wort, an
seinem Eigenwert und seiner aparten Fassung, verbunden
mit einem ernsten Streben nach Korrektheit und Disziplin
im Satzbau. Oft denkt man, wie leicht und flüssig gleiten
die Verse dahin, wie lässig und ohne Schwere ruht ihr Bau.
Und dennoch steckt eine eminente Arbeit darin, eine Arbeit, die von Werk zu Werk fortschreitet, bis man wahrhaft
an jedem Gebild die Klaue des Löwen erkennt.

Aber wie in einem Märchen der geheime Schatz erst nach
langen Fahrten und Abenteuern gehoben wird, so sollte
auch dieses Adeptenmühen erst nach den härtesten Selbsterprobungen und Verwandlungen seine siegreiche Erfüllung
finden.

Ein frauenhaft feinnerviger, aristokratischer und hoch-organisierter Mensch sehnt sich aus höchster Kultur nach dem Natürlichen, Primitiven. Ein Sonderling, morbid und von jener Reife, die schon eher Erinnerung an das Leben als das Leben selbst ist, sucht aus „der Tiefe der eigenen Welt, aus der Weite der eigenen Einsamkeit" heraus nach dem Kern alles Seins.

> „Wenn etwas mir vom Fenster fällt
> und wenn es auch das Kleinste wäre,
> wie stürzt sich das Gesetz der Schwere,
> gewaltig wie der Wind vom Meere
> auf jeden Ball und jede Beere
> und trägt sie in den Kern der Welt.
> Ein jedes Ding ist überwacht
> von einer flugbereiten Güte
> wie jeder Stein und jede Blüte
> und jedes kleine Kind bei Nacht.
> Nur wir in unsrer Hoffart drängen
> aus einigen Zusammenhängen
> in einer Freiheit leeren Raum,
> **statt** klugen Kräften hingegeben,
> uns aufzuheben wie ein Baum,
> statt in die weitesten Geleise
> sich still und willig einzureihen,
> verknüpft man sich auf manche Weise, —
> und wer sich ausschließt jedem Kreise,
> ist jetzt so namenlos allein.
> Da muß man lernen von den Dingen,
> anfangen wieder wie ein Kind,
> weil sie, die Gott am Herzen hingen,
> nicht von ihm fortgegangen sind.
> Eins muß er wieder können: fallen,
> geduldig in der Schwere ruhen,
> der sich vermaß, den Vögeln allen,
> im Fliegen es zuvorzutun."

RAINER MARIA RILKE
1906

Es gehört eine große, bis in die gleichgültigste Stunde angespannte Kraft dazu, allen billigen Kostbarkeiten, allen Schattenbildern der Bequemlichkeit aus dem Wege zu gehen, um in einer gesammelten inneren Einsamkeit eine Welt für sich zu werden.

Man ist von weniger komplizierten Erscheinungen her gewohnt, von „demütigem Lernen" und „geduldigem Warten" zu sprechen. Doch wer so versammelt ist um das geheimnisvolle Dunkel des reifenden Werkes wie der junge Rilke, dem taugen die noch nicht entfalteten Fahnen des Sieges wie Freunde, Widerstand, Zuversicht und Vorbilder nichts. Denn noch sind Steine, Pflanzen, Tiere, sind Nächte und Winde, die durch die Dämmerung gehen, allen Ruhelosen ein Gesetz der Schwere, allen Heimatlosen eine Wohnung, deren Wände die Geräusche der Welt abschließen. Noch ist vor allem der Kindheit Nähe ein „köstlich königlicher Reichtum", unter dessen Anblick sich die Sehnsucht in Musik verwandelt und das aufblühende Menschenherz zum Dichter wird, ehe es zum Manne gereift.

> „Und so zu spielen: Ball und Ring und Reifen
> in einem Garten, welcher sanft verblaßt,
> und manchmal die Erwachsenen zu streifen,
> blind und verwildert in des Haschens Hast,
> aber am Abend still, mit kleinen, steifen
> Schritten nach Hause zu gehn, fest angefaßt —
> O immer mehr entweichendes Begreifen,
> O Angst, o Last.
>
> Und stundenlang am großen, grauen Teiche
> mit einem kleinen Segelschiff zu knien;
> es zu vergessen, weil noch andere gleiche
> und schönere Segel durch die Ringe ziehen,

und denken müssen an das kleine bleiche
Gesicht, das sinkend aus dem Teiche schien —
O Kindheit, o entgleitende Vergleiche.
Wohin? Wohin?"

Wer weiß von diesen Erschütterungen kleiner Seelen, die
zwischen Garten und Haus fiebernde Vorgefühle der Liebe
und des Todes erleben? Von den verborgenen Aengsten der
Schulzeit, von dem bunten Park hinter dem Elternhaus, den
Blumen und dem Teich und den winzigen Schiffchen darauf,
und nicht zuletzt von dem dunkelreichen Sagenkreis mit
seinen fiebernden Schauern, seinen Tieren, Helden und En-
geln? Wer von den Erwachsenen weiß darum und greift
nicht mit rauher Hand hinein in dieses Märchenreich, in dem
sich in Wahrheit alle entscheidenden Verwandlungen unseres Lebens abspielen?

Vielleicht war keine Tat des Dichters größer als dieses
Verstehen der Kindheit, — dieses Hinüberretten ihrer Bewegungen in die gemeisterte Kühle der erwachsenen Welt.
Denn wie sehr muß gerade er, dieser sensible, dem Leid und
Glück des Werdens Hingegebene, unter dem Ansturm der
Außenwelt gelitten haben, die seine Wege bestimmen und
seine Seele formen wollte nach ihrem Bilde. Und wie unendlich schwer muß es ihm gewesen sein, die Keime seiner
Entfaltung vor der Gewalt jener Pfuscherei zu schützen, die
„man noch Erziehung und Schule nennt, — die dem Kinde
seine eigenen Reichtümer rauben und ihm an deren Stelle
Alltäglichkeiten geben, — die zum systematischen Kampf
gegen die Persönlichkeit des Kindes werden, weil man noch
nicht versteht, daß an dieser nichts getan, sondern ihr nur
Nahrung zugeführt werden soll. Die jungen Menschenkinder
stehen dann ratlos der Seele gegenüber, die es ihnen zu-

weilen zu retten gelingt, und ihre erste Aufgabe ist, — zu
vergessen. Und sie müssen den ganzen Weg durch Schule
und Erziehung zurückgehen, um etwas von dem tiefen Leben, dem eigenen Reichtum wiederzugewinnen, der ihnen
schon in der Kindheit eigen war."

Darum auch umkreist Rilke mit einer fast religiösen An-
dacht die berückende Magie der Kindheit, die in immer er-
neuten Einkleidungen die Geheimnisse seiner eigenen Jugend aus ihren Schlupfwinkeln hervorlockt. Da ist das Bild
der Mutter, deren Güte er zeitlebens entbehren mußte, das
süße Dämmern ersten Welterlebens, „da die kleine Seele
noch gefüllt war bis zum Rande", der Kinder Spiel und der
Schule lange Angst und Zeit; da ist das Leiden auf der
Kadettenanstalt, „wo er fünf Jahre hindurch alle Qualen
litt, die eine Kinderseele leiden kann, die sich inmitten
einer lärmenden Menge vollkommen einsam fühlt". (Ellen
Key.) Da ist vor allem die Jugendgeliebte Valéry David-
Ronfeld, der der Dichter als einzigem Menschen sein erstes
scheues Vertrauen geschenkt.

In einer ergreifenden Betrachtung über sein bisheriges
Leben klagt er ihr an seinem neunzehnten Geburtstag, in
der Nacht vom 3. zum 4. Dezember 1894 sein Los:

„Du kennst die lichtarme Geschichte meiner verfehlten
Kindheit und Du kennst diejenigen Personen, welche schuld
daran tragen, daß ich nichts oder wenig Freudiges aus jenen
Werdetagen zu merken vermag. Du weißt, daß ich einen
großen Teil des Tages einer gewissensarmen und sittenlosen
Dienstmagd überlassen war und daß diejenige Frau, deren
erste und nächstliegende Sorge ich hätte sein sollen, mich
nur liebte, wo es galt, mich in meinem neuen Kleidchen
vor ein paar staunenden Bekannten aufzuführen. Du weißt,
wie ich mit wechselndem Erfolge die Volksschule der Piari-

sten absolvierte und — ein dummer Knabe — in der Haupt-
allee des Baumgartens über mein eigenes Schicksal mit einem
kindischen Worte entschied. Wenn mir im Vaterhause die
Liebe nur von seiten meines Papas zugleich mit Sorgfalt und
Fürsorge entgegengebracht wurde, ich im allgemeinen ganz auf
mich selbst angewiesen war und meine kleinen Leiden und
Wonnen meist niemandem zuteil werden lassen konnte, so
war mir in der neuen Phase meines jungen Lebens, in der
Militärschule, jene feige, unverhüllte Herzlosigkeit sehr wohl
bekannt, welche selbst vor Mißhandlungen aus rein bestiali-
schem Mordtriebe (der Ausdruck ist nicht zu stark) nicht zu-
rückschreckt... Ich duldete Schläge, ohne je einen Schlag
erwidert oder wenigstens mit einem bösen Wort vergolten
zu haben. Ich litt und trug... Mit derselben Notwendigkeit, mit der ich den Tag der Nacht weichen sah, glaubte
ich meine Qualen vorhanden und setzte einen Stolz hinein,
sie zu tragen... In dieser Zeit, die ich ja meistens im Kran-
kenzimmer mehr geistig vergrämt als körperlich krank ver-
brachte, bildeten meine ersten poetischen Versuche sich
zu größerer Klarheit und Selbständigkeit heraus, und besonders die beiden Gedanken „Satan auf den Trümmern Roms"
und „Die Beschwörung" erwähne ich mit freudiger Erinnerung. So keimten in diesen trüben Tagen zum ersten Male
die oft erstickten Trosttriebe frei herauf; zugleich aber empfand der älter werdende Sinn, das lichter werdende Herz die
fröstelnde Lehre der Vereinsamung.."

Wir wissen nicht, welche der Klagen uns mehr zu Herzen
dringt, dieser dichterische Brief voll lastender Erinnerungen
oder die autobiographischen Gedichte, die von seinem Ver-
lassensein, seinem Ausgestoßensein „aus einigenden Zusammenhängen" erzählen. Gleichnishaft, unter dem Motiv der
Gottverlassenheit Christi im Oelbaumgarten trägt Rilke

sein eigenes Schicksal vor: die Wurzellosigkeit dessen, der
einzig auf sich gestellt „aus der Tiefe der eigenen Welt und
aus der Weite der eigenen Einsamkeit" nach dem Kern alles
Seins sucht. Und selbst wenn er diese seine Einsamkeit in
fremde Symbole kleidet, etwa in die beängstigende Schwere
eines Herbsttages (man beachte darin die an Nietzsche erinnernde Endstrophe „Wer jetzt kein Haus hat, baut sich
keines mehr") oder in die Furcht der Entführten im Arme
des Entführers oder in den einsamen Kaiser, der seine ganze
Liebe dem Falken zuwendet, so sind auch diese Meditatio-
nen nichts anderes als Lieder eines Verwaisten.

> „Ich bin Niemand und werde auch Niemand sein.
> Jetzt bin ich ja zum Sein noch zu klein;
> aber auch später.
>
> Mütter und Väter
> erbarmt euch mein.
>
> Zwar lohnt nicht des Pflegens Müh':
> ich werde doch gemäht.
> Mich kann keiner brauchen: jetzt ist es zu früh
> und morgen ist es zu spät.
>
> Ich habe nur dieses eine Kleid,
> es wird dünn und es verbleicht,
> aber es hält eine Ewigkeit
> auch noch vor Gott vielleicht."

Scheint es nicht übertrieben, diesen Beschäftigungen und
Leiden eines Jünglings so viele Zeilen zu widmen? Gewiß
ist es, wie Rilke einmal in einem Briefe aus dem Jahre 1907
bemerkt, „gleichgültig, was man als sehr junger Mensch
schreibt, ebenso wie es gleichgültig ist, was man sonst
unternimmt". Aber — so fährt er fort — auch die „scheinbar

nutzlosesten Zerstreuungen können ein Vorwand innerer Sammlung sein; ja sie können sogar von der Natur instinktiv ergriffen werden um die kontrollierende Beobachtung und Aufmerksamkeit wegzulenken, denen daran liegt, unerkannt zu bleiben. Man darf alles tun; dies allein entspricht der ganzen Breite, die das Leben hat."

Mit dieser Forderung nach Unbegrenztheit der geistigen Betätigung deckt sich im Wesentlichen die Ansicht, die Rilke über das gleiche Thema in seiner Monographie über „Worpswede" äußert: „Man unterschätze nicht die Bedeutung dieser Jahre für den Künstler. Sie sind ganz erfüllt von einer frohen und naiven Vorbereitung, und man kann behaupten, daß in ihnen nichts geschieht, was mit dem noch unformulierten Lebenswunsch und Lebensdrang des Menschen, der dabei reift, nicht im innigsten Einklang stünde. Ganz mit sich allein gelassen, arbeitet die Natur rastlos an der Erfüllung des noch unverratenen Planes. Ein fortwährendes Herbeitragen, Sammeln, Aufspeichern ist das Chrakteristische dieser Jahre. Und die Auswahl geschieht noch ganz von selbst. Mit einer fast sonambulen Sicherheit greift die Natur nach dem, was sie braucht und sie findet es immer unter hundert Dingen heraus."

Diese Selbsterziehung ändert sich freilich in dem Augenblick, in dem das Ziel gefunden und ausgesprochen wird. Denn das mißtrauische Gewissen kann trotz der momentanen Sicherheit auf die Dauer nicht die Gefahren übersehen, die aus solch hohem Wunsch zur Einsamkeit, aus solch seherisch überglänztem Willen zur Vergangenheit, in der alles Einst nicht verneint, sondern gesteigert wird, unvermeidlich mit erwachsen. Das Lauschen nach innen muß vielmehr zur Krise werden, sobald die eigne Lebensform nach Betätigung, nach aktiver Gestaltung drängt. Kreuzt doch stets das aristokratische Verschlossensein gegen den Wellengang der Gesellschaft, die ihre Königsrechte geltend macht gegen jeden Einzelgänger, der außerhalb ihrer verharrt.

So mußte auch der junge Rilke, ohne Heimat und ohne Familie wie er war, die Lebenswirklichkeit, diesen tyrannischen Diktator des Nur-Geistigen, unerträglich finden und „schwerer als das Schwere von allen Dingen". Ohne vorherbestimmte Arbeit, die das Morgen an ein Gestern hätte knüpfen können, — ohne Wegweiser als den seiner eigenen Sicht, lebte er, ein wurzelloser Romantiker vom Typus eines Hugo von Hofmannsthal, sein problematisches Dasein durch alle Erscheinungen des äußeren Lebens hindurch, stets enteilend, ziellos schweifend, ein den Genüssen der Zeit unnahbares Herz.

Doch einmal muß die Welt auch zu ihm sprechen, laut und ohne Gnade, gebend und richtend. Einmal muß auch er durch sie hindurchgehen, auf daß zu seinen Erinnerungen Erkenntnisse treten und das Wissen um tiefere, verborgene Dinge. Er muß der Menschen Städte gefühlt, der Menschen Leidenschaften und Verwirrungen durchlitten und ihre Taten geprüft haben, ob sie zum Bauwerk seines Schaffens geeignet sind.

Alle Wasser des Gewesenen und alle Fluten des Gegenwärtigen wird er hindurchleiten durch die Stromenge seines Ich, denn er weiß: irgendwann kommt eine Stunde zu mir, die nur für mich schlägt, irgendwo ist ein Land, dessen Erde auf mich wartet, und irgendwo ein Mensch, der sein Leben nur gelebt hat um des meinen willen.

DAS RUSSISCHE ERLEBNIS

»Nie hat ein gleiches Gegleiß
von den Funken des Sommers verkündet,
eine Stirne, besäet mit Schweiß
so zu Lichtern des Sieges entzündet.«

Paul Valéry, Heimliche Ode.

Anfang April 1899 traf Rilke in Moskau ein. Es war kalt. Ein eisiger Wind fegte den Schnee der Straßen. Doch mit Ungestüm brach sich der Frühling Bahn. Die Nächte wurden unruhig und schlaflos und bekamen „einen heimlichen Glanz, der die Brücke ist von Tag zu Tag."

Da beginnt sich auch in ihm Land und Meer zu scheiden. Klar und glockenstimmig reden die russischen Stunden. Das Volk, das schlichte, unverbildete, irgendwo kindlich gebliebene, ersteht vor seinen verwirrten Sinnen. Millionen und Abermillionen Bauern und Beter, deren Masse wie der Ozean atmet mit Ebbe und Flut, umbranden seine Schritte. Etwas Neues, Gegenwärtiges, Fremdes greift in sein Leben ein. Der noch vor Jahresfrist in Florenz und seiner architektonisch geläuterten Landschaft die Heimat entdeckt zu haben glaubte, muß nun bekennen, daß er nur hier, in Rußland, sich wahrhaft zu Hause fühle.

„Man kann es schwer sagen, wie neu dieses Land ist, wie zukünftig." Einsam sind hier die Menschen, „jeder voll Dunkelheit wie ein Berg, jeder bis zum Halse in seiner Demut stehend, ohne Furcht sich zu erniedrigen und deshalb fromm. Menschen voll Ferne, Unsicherheit und Hoffnung, Werdende".

Vor ihrem unberührten, in aller Stille vor sich gehenden Wirken zerbricht unser schwatzhafter Hochmut, der die

Dinge so gern mit gelehrtem Spruchband ziert. Schweigen ist alles: Erde, Mensch und Tier. Selbst die Gespräche sind nur „schwache, schwankende Brücken über ihrem wirklichen Sein."

Wie vor einem Wunder, so steht der Dichter vor dieser Welt. Lebte er bis dahin in vollkommener Abgeschiedenheit einzig der Sammlung seiner menschlichen und künstlerischen Kräfte, so lernt er jetzt im Anblick dieses östlichen Volkes, daß gerade der eisig vereinsamteste, volkverlassenste Geist doch irgendwie am innigsten mit der Welt und den Menschen verbunden sein kann.

Die Herzlosigkeit der großen Städte des Westens, der schöne Glanz und die Lüge, die aus ihren Lastern spricht, hatten ihn aufs schmerzlichste enttäuscht. Schon sah er keine Hoffnung mehr für sich. Die Erinnerung an Liebe, Jugend und Freundschaft und an jene traurigen Erfahrungen, die damit verbunden waren, lag wie eine Zentnerlast auf seiner empfindsamen Seele. Da trifft er auf ein Volk, das ein noch werdendes Volk ist, und nicht wie die Tschechen groß geworden war unter Erwachsenen, so daß es „das Lächeln gelernt, eh' es das Lachen gekonnt." Das Unfertige, Ungewisse im russischen Menschen, der gerade in seiner naturhaften Unbeweglichkeit, in seiner „noch innigen Zusammenfassung von Leben und Poesie" ungeahnte Möglichkeiten verhieß, dünkte ihm als ein Gleichnis seiner selbst. Denn beide, das russische Volk und er, sind noch nicht, und es gibt noch kein Sein hinter ihrem Tun und Wirken. Beide sind nur Ansätze, nur Fragmente, nur naive Torsi endgültiger Vollendungen.

„Vielleicht ist der Russe gemacht, die Menschengeschichte vorbeigehen zu lassen, um später in die Harmonie der Dinge einzufallen mit seinem singenden Herzen. Nur zu dauern hat er, auszuhalten und wie der Geigenspieler, dem noch kein Zeichen gegeben ist, im Orchester zu sitzen, vorsichtig sein Instrument haltend, damit ihm nichts widerfahre..." (1903).

Die Luft, die der Dichter atmet, das weiße Licht der weiten Schneelandschaft mit ihren schweigsamen Menschen, das Geheimnisvolle und Rätselhafte ihrer Seelenbewegungen, die so schwer zu fassen sind, offenbaren ihm, je länger er darüber nachsinnt, eine Gegensätzlichkeit von unaussprechlicher Tragik. Denn nicht die gleichsam sichtbare und gewissermaßen schon literaturgewordene Spannung allein ist es, die ihn so ergreift und erschüttert, — ihn, der aus ganz anderen Bezirken des Geistes kommt, nicht der Gegensatz etwa zwischen dem westlichen St. Petersburg und dem östlichen Moskau etwa, zwischen dem Slavophilentum und dem Westlertum, sondern weit mehr noch jener tiefere Gegensatz, der in der Liebe zur russischen Erde einerseits und der Liebe zu den himmlischen Dingen andererseits oder auch in der allertiefsten religiösen Schicht, in der Antithese Gottmensch und Menschengott zum Ausdruck kommt. Das Bewußtsein der Schuld, wobei der Russe seine eigene Schuld als die der ganzen Welt, als die Erbsünde und deshalb als unüberwindbare erkennt, geht mit dem Bewußtsein dafür, daß alles gut und göttlich ist, Hand in Hand. Die pessimistische Auffassung der Welt, die in Sünde und Tod versunken scheint, wechselt mit der Auffassung derselben Welt als der göttlichen, guten und schönen ab. Die Verneinung des Kosmos, die im Grunde nur die Verneinung seiner Begrenztheit, seiner sündhaften Notwendigkeit ist, strömt mit der Bejahung und der Rechtfertigung des Kosmos als der vollkommenen und wirklich seienden Welt zusammen. Ja, der Tod selbst erhält eine absolute Bedeutung: der Tod wird als ein notwendiges ‚Moment‘ des vollen Seins und als der Weg zur vollkommenen All-Einheit erkannt. Darum lieben die Russen den Tod und das Leiden; darum ersehen sie ganz klar, daß die Selbstaufopferung das höchste Prinzip des Seins ist.

Aber noch ein anderes, nicht weniger folgenschweres Erlebnis steht hinter dieser Liebe des Dichters zum russischen Wesen. Zur Leitidee der selbstgewählten Aufgabe, die von nun an Steigerung und Verwandlung zugleich ist, tritt eine Kraft, die diese Liebe zur Bildwerdung emporläutert.

Rainer Maria Rilke ging nach Rußland, nicht nur um der neuen Welt, der neuen Sichtbarkeit willen, sondern mehr noch um eines großen Menschen willen. Er besuchte den greisen, todnahen Leo Tolstoj und wandelte mit ihm über die herbstlichen Schollen von Jasnaja Poljana.

Rilke selbst hat über dieses Zusammentreffen nur in wenigen verhüllten Worten gesprochen. Aber wir wissen wenigstens so viel, daß er in Ljew Nikolaijewitsch Tolstoj den „rührendsten Menschen‘, den „ewigen Russen“ gefunden hat, d. h. weniger den breitstirnigen Träger epischer Riesenlasten, wie er uns in „Krieg und Frieden“, in der „Auferstehung“ oder in der „Anna Karenina“ entgegentritt, als den zur Knechtseligkeit mahnenden Moralprediger, den seiner Zeit tief zürnenden Propheten. Denn der im Leinenkittel des Muschik einhergehende Gutsherr, der einst Graf gewesen war, um zuletzt nur Mensch zu sein, war nicht mehr der Dichter der Güte allein. Er war der haßerfüllte Verneiner des westlichen Fortschritts geworden, der in den russischen Mißbräuchen zugleich Seele und Geist des modernen Staates aufs schärfste bekämpfte. In seiner aufwühlenden Schrift „Was sollen wir tun?“, hatte er einen furchtbaren Fluch über die Kunst, diesen gleisnerischen Dienst am Schönen, ausgesprochen und darin ihre Vertreter als Verführer, als pflichtlose Genießer und Schrittmacher der Sinnlichkeit gebrandmarkt. Ob dieser seiner Feindschaft gegen die Zivilisation, die alles Unheil und alle Entartung in die Welt gebracht habe, erschien Tolstoj der Jugend um 1900 als der Genius des Ostens selbst und sie feierte diesen Genius inbrünstiger, als sie je Ibsen und Zola gefeiert hatte, weil er sein Fleisch bekämpfte, „sein mächtiges seherisches Fleisch, das doch viel geistiger war als sein Geist, es bekämpfte, weil in Gott leben außerhalb des Körpers leben heiße". (Thomas Mann.)

Denn eines dürfen wir nicht vergessen: was dieser Mann von Tula schrieb und redete, das versuchte er zu leben. Nachdem er der vornehmen Herrn und Damen müde geworden, erholte er sich unter Enterbten. Er kleidete sich und hauste wie ein Bauer. Er spaltete Holz, fertigte Öfen für alte Frauen und riet seinem Sohne, sich als Knecht zu verdingen. Die Hand am Pflugsterz schritt er über seine Äcker. So malte ihn Ilja Repins Meisterhand.

Und doch war diese Lebensweise im Grunde nichts anderes als „die naive Freude eines unverwüstlich kräftigen Mannes", dem das Leben, wie Mereschkowsky über Tolstoj sagt, „ein einziger Festtag, ein ewiges Spiel war, bald auf dem Felde hinter der Egge, bald auf der Wiese bei den Mähern, bald beim Wegfegen des Schnees zur Reinigung der Eisbahn". Mitten in einer aufs heftigste widerstrebenden Zeit, in einer geistigen Vereinsamung ohnegleichen versuchte er so die Identität von Wort und Tat bis zur letzten Konsequenz wahr zu machen.

Oder war es etwas anderes, was ihn bewog, sein eigenes Wissen am Leid zu erproben? War vielleicht der machtsüchtige Fanatismus stärker in ihm als die Demut und Güte der

Evangelien? — Iwan Turgenjew hat von Tolstoj mit tiefer Genugtuung behauptet, sein letztes und schrecklichstes Geheimnis sei, daß er niemanden lieben könne als sich selbst. Wie wenn Turgenjew richtiger, tiefer gesehen hätte als Rilke? Wenn der große Seelenerwecker, der als einziger den Mut gefunden hatte, der entarteten Zeit den Spiegel vorzuhalten, in Wahrheit nur ein genialer Schauspieler gewesen wäre? Bleibt da nicht des Dichters Verehrung ein tragisches Verkennen? Denn gerade bei Tolstoj werden wir das Gefühl nicht los, daß seine franziskanische Selbstlosigkeit mit kluger Personalpolitik eine sehr unheilige Ehe einzugehen wußte, daß seine Bruderliebe nichts als schöne Literatur und sein Höhlenchristentum ein antiquarischer Sport war, nachdem die Würzen des Lebens keinen Reiz mehr für ihn hatten.

Auch Mereschkowsky empfand wohl das Fragwürdige der Erscheinung Tolstojs, wenn er von der Unvereinbarkeit der Ansprüche des Geistes und der des Fleisches spricht, erweitert in die Gegensätze des Göttlichen und des Menschlichen oder auch des Christlichen und des Heidnischen. Während Dostojewsky, außerhalb des Lebens stehend, in der gespenstigen Realität seiner Welt, in seiner prophetischen Wirklichkeit webt, bedeutete für Tolstoj das Leben ein einziges unermeßliches Strombett, durch welches die stürmischen Lebensfluten blind dahinrasten und alles Menschlich-Persönliche mit sich fortrissen. Und dennoch haben beide eine Lösung geahnt und mit der feinen Witterung des keuschen Gemüts ergriffen, die auf Ebenen liegt, die der Intellektualismus und jeglicher Positivismus nicht kennen. Sie besitzen etwas, was mit einem Schlage hundert Probleme verstummen läßt, — was die blöde Geschäftigkeit so mancher Großstadt mit ihren hastenden Griffen nach Ergebnissen, die gar nicht

Photo A. Harlingue, Paris.

AUGUSTE RODIN

der Mühe lohnen, in ihrer ganzen Hohlheit offenbart, — was das Leben unendlich vereinfacht, weil es das Leben unendlich vertieft, jenes eine Notwendige, was man unter den tausend Notwendigkeiten des bedrängten Europa vergessen und verloren hat: das Mysterium, den Glauben, das Göttliche, — die Rückkehr zu den Müttern, den Quellen unseres Seins.

Es ist daher auch abwegig, darüber nachzudenken, wer Tolstoj richtiger beurteilt, Turgenjew oder Mereschkowsky. Für unsere Betrachtung ist nur die Nachwirkung Tolstojs in Rilkes geistiger Landschaft von Wichtigkeit. Beide begegneten sich im Erkennen ihres Brudertums. Denn was ihre Herzen mit geheimnisvoller Macht aufeinander abstimmte, war nicht die gemeinsame Auffassung in diesen oder jenen sozialen und ästhetischen Fragen (Kritik, Konfession, Protest), sondern einzig das unmittelbare Verhältnis von Mensch zu Mensch. Rilkes junges Herz war willig geöffnet für jeden befruchtenden Samen aus guter Hand. Es quoll über von Sehnsucht nach allem Idealen, vor allem nach Dichtung und bildender Kunst. Umso aufwühlender mußte die Entscheidung sein, vor die Tolstojs Lehre ihn jetzt stellte: es gibt nur eine Kunst, die gilt, — nämlich die Kunst, die die Menschen verbindet, die den Mut zum Opfer hat. Nicht die Begeisterung für irgendwelche wesenlose Schönheit, nur die tätige Hingabe an die Menschheit bringt sie hervor.

So lautete die Botschaft, die Rilke in Rußland traf, ähnlich wie sie zwölf Jahre zuvor aus dem gleichen Munde Romain Rolland zuteil geworden war. Dabei ist es gleichgültig, wie der Prophet dieser Lehre selbst seine Sendung aufgefaßt und betätigt hat, ob als edlen und ernsten Dienst an den Menschen oder nur als geistreiche Rhetorik, die den Verkünder keine Konsequenzen auferlegt. Unter dem beispielgebenden Eindruck der menschlichen Persönlichkeit des greisen Dichters kam es Rilke wohl gar nicht in den Sinn, aus Tolstoj zwei verschiedene Wesen zu machen: der gewaltige Epiker und der Weltverbesserer waren in seinen Augen ein und dieselbe schöpferische Gestalt. Und mit Recht; denn weder „Krieg und Frieden" noch „Anna Karenina" wären geschrieben worden, wenn Tolstojs Leben nicht mit seiner Flucht zugunsten des von ihm als wirklich empfundenen Lebens zum Abschluß gekommen wäre. Wenn die wundervolle Stute Froufrou, das überaus feinnervige Tier, während des Rennens unter dem Grafen Wronski zusammenbricht, und wenn das Seitenstück zu dieser Stute, Anna Karenina, die Geliebte Wronskis, von den Eisenbahnrädern zermalmt wird, so sagt Tolstoj damit: „Gott, du hast mich verlassen." Tolstoj erlebt das hundertfach, was Dostojewsky hundertfach bereits durchlebt hatte: den Abfall von Gott, d. h. den Tod zu hundert Malen, ehe denn er starb.

*

Wie weit Rilke diese Zusammenhänge so gesehen hat oder ob er sie nur geahnt hat, bleibe dahingestellt. Eines ist sicher: auf Rilke haben Tolstojs Worte den nachhaltigsten Einfluß ausgeübt, und zwar nicht nur zu dieser Stunde, nein, bis auf den letzten Tag seines Daseins. Denn sie trafen den Dichter im Zustande einer sehr willigen, nach Erlösung geradezu lechzenden Bereitschaft, so daß selbst eine weniger revolutionäre Erkenntnis eine entscheidende Wirkung hätte haben können. Auch waren Rilkes persönliche Nöte stärker als der Wille zur Kritik. Am stärksten aber war der Wille zum Werk. Es bedurfte nur mehr des Blitzes, der den entzündlichen Körper entflammte, und dieser Blitz eben war — Tolstoj.

Dies bezeugen aufs deutlichste die in den Jahren 1899 bis 1903 entstandenen, unter dem Titel „Stundenbuch" zusammengefaßten Gedichte: „Vom mönchischen Leben, von der Pilgerschaft, von der Armut und vom Tode." Sie sind eine einzige große Beichte, aber eine Beichte persönlichster und ungegenwärtigster Art, wie sie eben nur Rilke möglich ist. Eine Beichte und ein Gebetbuch zugleich, ein Bekenntnis und darüber hinaus eine Chronik der innerlichsten Frömmigkeit.

Was sie ermöglichte, war die Erschütterung, Aufrichtung und Verzauberung, die Rilke in Rußland durch den gebieterischen Gewissenserwecker des Ostens erfahren hat. Denn ihre Entstehung fällt genau in die Zeit, da der Dichter „in der russischen Demut, im russischen Kreaturgefühl, in dieser unerhörten Wertgleichsetzung der Menschen vor Gott" die rettende Gegenbewegung gegen den Stolz des Zivilisationsliteraten erkannt hatte, dessen Vergöttlichungen des Menschen jede wahrhafte religiöse Wiedergeburt hemmen mußte. Als ein Verlorener, Zerstückter, als ein Wanderer ohne Wanderlust, ein Hoffender, ohne zu wissen, auf was er hoffte, war Rilke gekommen. Mit einem Erlebnis, das ihn fast zu überwältigen drohte, kehrte er zu sich selbst zurück. Er hatte im dunkelverhängten, schweigsamen Osten, von dessen Einsamkeit jede Hoffart zerbricht, das Absolute erlebt: Gott. Er, der wie fast alle Dichter des Verfalls, sich eingekerkert hatte in die Zelle seines eigenen einsamen Herzens, hatte eine Art Urheimat erfahren: eine kindlich primitive und durch nichts zu erschütternde Gemeinschaft.

So stark aber war der Blitz, der den ahnungslosen Wanderer auf einmal erhellte, so umschaffend seine Gewalt, daß er nicht nur die Zukunft vor ihm aufriß, sondern auch seinen bisherigen, abseitigen Weg in letzter abschiednehmender Klarheit erscheinen ließ.

> „Ich war zerstreut: an Widersacher,
> in Stücken war verteilt mein Ich,
> O Gott mich lachten alle Lacher
> und alle Trinker tranken mich.
> In Höfen hab ich mich gesammelt
> aus Abfall und aus altem Glas,
> mit halbem Mund dich angestammelt,
> dich, Ewiger, aus Ebenmaß.
> Wie hob ich meine halben Hände
> zu dir in namenlosem Flehn,
> daß ich die Augen wiederfände,
> mit denen ich dich angesehn.“

Doch jetzt haben die Dämonen der Einsamkeit, Verzweiflung, Sorge, Verfolgung und Verruf keine Macht mehr über den Erlösten. Von der Allgewalt östlichen Lichtes getroffen stürzen sie mit zerbrochenen Szeptern in den Abgrund hinab und mit ihnen die Gespenster der Zagheit und des Zweifels, die sich an der instinktiven Feindschaft der Welt gegen den Abgesonderten entzündet hatten. Die Gifte selbst haben ihren Balsam geschaffen. Denn ihr Überfluß, die geheime Arbeit einer jahrelangen Dekadenz, hat den Genossen gezeugt, den ersehnten Nachbarn, den zweiten seiner Einsamkeit: Gott.

Und gerade das ist es, was Rilkes Leben jetzt in eine neue Epoche, eine Epoche der Fülle und Selbstgewißheit, hinüberführt, — daß er „den siegenden Gott neben allen Ungetümern, die er bekämpft hat, von Angesicht zu Angesicht sehen darf“.

Dieser Gott Rilkes aber ist keine äußerliche, über dem Leben stehende Realität, nichts Ewiges, nichts Transzendentes, von dem man Hilfe und Wunder erwarten darf. Er ist vielmehr das Leben selbst, — das Leben in seiner absoluten Bedeutung, in seiner überwältigenden Ganzheit und Fülle. Immer höher und höher steigend, in den niedersten wie in den vollkommensten Naturen in gleicher Weise wirksam, schwillt dieses Leben über alle objektiven Gegebenheiten der Welt hinaus und begräbt auch den letzten Gipfel, den Gipfel der Gottheit, in seinen heiligen Fluten. An keine Ufer brandet es an. Nicht ist ihm von Gottes Hand eine Grenze gesetzt. Denn Gott selbst ist ja in ihm: als das Rauschen und der Rhythmus seiner Wogen, als das Atmen seiner Wälder, die große Einkehr und die tiefste Stille.

Unerschöpflich in Gleichnissen und Symbolen, in Begriffen und Ideen umbildert der Dichter diesen seinen Gott und verkündet in einer dunklen, ausgeruhten Sprache, die wie Orgelklang in unser Inneres bricht, „das Reifen der Dinge und Menschen in Gott" und „das Reifen Gottes in uns".

> „Du bist der Tiefste, welcher ragte,
> der Taucher und der Stürme Neid.
> Du bist der Sanfte, der sich sagte.
> und doch, wenn dich ein Feiger fragte,
> so schwelgtest du in Schweigsamkeit.
>
> Du bist der Wald der Widersprüche.
> Ich darf dich wiegen wie ein Kind,
> und doch vollziehn sich deine Flüche,
> die über Völker furchtbar sind.
>
> Dir ward das erste Buch geschrieben,
> das erste Bild versuchte dich,
> du warst im Leiden und im Lieben,

dein Ernst war wie aus Erz getrieben
auf jeder Stirn, die mit den sieben
erfüllten Tagen dich verglich.

Du gingst in Tausenden verloren,
und alle Opfer waren kalt;
bis du in hohen Kirchenchoren
dich rührtest hinter goldnen Toren;
und eine Bangnis, die geboren,
umgürtete dich mit Gestalt."

Gott ist der Name, der in diesen Akkorden der Frömmigkeit vor allen anderen Namen steht, der Gedanke über allen
Gedanken, das Gefühl über allen Gefühlen. Denn er ist
überall und alles, und nichts ist so gering, daß es nicht er
sein könnte. Gott ist der Dom, der nie vollendet werden
kann, der Rätselhafte, um den die Zeit in Zögern steht.
Gott ist der Berg, der „blieb, da die Gebirge kamen", ein
ausgeworfener Leprose, der mit der Klapper umgeht vor
der Stadt, der raunende Verrußte, der aus allen Öfen auf-
steigt, der Bauer mit dem Barte, die Harfe, an der jeder
Spielende zerschellt.

Diese unerhörte Variationsfähigkeit des bildlichen Ausdrucks, für die schon diese wenigen, zufällig gewählten
Beispiele zeugen, hat nicht ihresgleichen in der mystischen
Dichtung deutscher Zunge. Der höchste Geistesreichtum, die
waghalsigsten Paradoxe, die kühnsten dialektischen Fas-
sungen müssen herhalten, um dem mystischen Bedürfnis,
dem „alles Vergängliche nur ein Gleichnis" ist, zum Ausdruck zu verhelfen. Dabei vergißt der Dichter niemals, daß
seine Worte nur Gestammel sind, daß gerade das gegenständliche Behaupten des göttlichen Wesens in Bildern und
Vergleichen den Menschen immer weiter von Gott entfernt.

Nur in dunklen Abendstunden, wenn alles Zufällige und Ungefähre verstummt, wenn die Linien unscharf werden und die Geräusche der Welt in unendliche Ruhe sinken, wird eine wahrhafte Gottvereinigung möglich sein.

> „Doch wie ich mich auch in mich selber beuge;
> mein Gott ist dunkel und wie ein Gewebe
> von hundert Wurzeln, welche schweigsam trinken."

Man könnte versucht sein, angesichts dieser mystischen Gott-Trunkenheit jene seliger oder glücklicher zu preisen, die von dem großen gemeinsamen Strom der Anbetung getragen wurden, die also nicht für sich die Welt neu entdecken wollten, sondern einen Gott hatten in der entdeckten Welt, vor dem sie niederknien durften, eine Mutter des Gottes mit ihren Heiligen, die sie gestalten durften.

Mit dem Zusammenbruch der objektiven Ordnung und damit aller heteronomen Offenbarung wurde das Innenleben zur einzigen Quelle des Religiösen, und es war nur natürlich, daß die Dichter, aus dieser Quelle schöpfend, schon deshalb unter allen Verkündern des Religiösen an die erste Stelle traten, weil in ihnen das Schöpferische in ausgezeichneter Weise lebendig ist. Selbst ein so wortsicherer Künstler wie Stefan George konnte daher der Versuchung nicht widerstehen, sich eines Tages als Religionsstifter zu fühlen und eigene Mysterien zu offenbaren.

Es soll nicht bestritten werden, daß diese Entwicklung der Dichtung den tiefen Klang und den schweren Gehalt wieder zurückgab, den sie seit Goethe verloren hatte, so wie sie andererseits auch der Religion erneut das Kleid der schönen Künste verlieh. Aber leider vergaß die Dichtung über dieser Prophetensendung die Forderung aller Kunst, daß sie nämlich erst dann als vollendet gelten kann, wenn ihr Gehalt vollkommen durchgestaltet ist. Eine Anarchie der Formen drohte, weil niemand mehr die Form beachtete und immer nur das Wesen, das geheime Wort, das eigentlich Unaussprechliche.

Es kennzeichnet Rilkes einmalige Stellung in der Dichtung unserer Zeit, daß er diese Gefahr zu vermeiden wußte. Er rückte den Akzent in die rechte Mitte zwischen Gehalt und Gestalt, und niemand, der sich seinen Poesien hingibt, wird in Versuchung geraten, über den neuen Offenbarungen, die das Stoffliche betreffen, die neue Formung des Gegebenen im menschlichen Symbol zu übersehen. Rilkes Sprache ist und bleibt modellierbar, weich wie Wachs. Gehorsam nimmt sie das Gepräge der Form auf. Sie wurzelt im Urelement des Volklichen und gibt sich mit souveräner Kraft dem genial unbewußten Improvisieren hin. Sie erscheint daher so recht geschaffen, gerade vom real Wunderbaren zu künden, vom Geheimnisvollen, Himmlischen, Besonderen, von lebhaften Bildern, wunderbaren Begebenheiten, von Sagen und Legenden. Dies alles ohne vernünftelnde Abstraktion, ohne tendenziöse Predigt, sondern als unmittelbare Wirkung, Erfahrung, fromme Tat.

Dieser schöpferische Prozeß erinnert in seinem Wesen an alte Ikone: die innere Glut hat er erfaßt und er gießt sie in die geprägten Grenzen der Form. Alles ist vom rhythmischen Puls der beseelten Dinge erfüllt. Die Konturen des Leibes vermögen kaum die innere Spannung des Geistes zu fassen. Der Geist verleiht der äußeren Hülle warmes Leben.

*

Diesem zweifellos mystischen Gestaltungsprinzip, das die Wissenschaft dem „Immanenzbegriff" gleichsetzt, steht jedoch auch bei Rilke — ähnlich wie bei dem Vater der abendländischen Mystik, bei Plotin — ein zweites Motiv gegenüber. Neben das Abschildern Gottes in seiner absoluten Dunkelheit und Pasivität tritt die ebenso eingehende Schilderung aller Formen und Prozesse der „werdenden Welttiefen". Denn Gott ist für Rilke ja kein am Anfang aller Anfänge stehender Schöpfer, sondern „der Kommende, der von Ewigkeit her besteht, der Zukünftige, die endliche Frucht eines Baumes, dessen Blätter wir sind. Wie die Bienen den Honig zusammentragen, so holen wir das Süßeste aus allem und bauen ihn. Mit dem Geringen sogar, mit dem Unscheinbaren, wenn es nur aus Liebe geschieht, fangen wir an, mit der Arbeit und dem Ruhen hernach, mit einem Schweigen oder mit einer kleinen einsamen Freude; mit allem, was wir allein, ohne Teilnehmer und Anhänger tun, beginnen wir ihn, den wir nicht erleben werden, so wenig wie unsere Vorfahren uns erleben konnten."

Der Mensch selbst erschafft demnach Gott als einen Teil seines Ichs. Gott ist des Menschen Sohn und als solcher der Erbe der Welt. Die Welt aber ist weit, und was darinnen ist, wird einmal sein eigen: das Grün vergangener Gärten und das Blau zerfallener Himmel und alle Sommer, durch die die Sonne hindurchgegangen ist, alle Herbste, die sich wie Prunkgewänder um die Erinnerungen junger Dichter legen, ja selbst die Winter, die nichts mehr verlieren, aber alles wieder erwarten können. Erben wird er auch Rom und Florenz und den Pisaner Dom, Moskau mit Glocken und den Klang von Geigen und Hörnern, und jedes tief gesungene Lied wird an ihm glänzen wie ein Edelstein.

So ist für Rilke der große Prozeß der Weltentwicklung, in dem das Werden Gottes einbeschlossen liegt, nur das Werk und die Arbeit des Menschen. Gott ist noch nicht. Er muß ja der Letzte sein um alles in sich zu fassen. Aber seine dämmernden Konturen werden von Stunde zu Stunde sichtbarer. Atom türmt sich auf Atom, bis der Tag der Vollendung und damit das Ende der menschlichen Bestimmung gekommen ist. Was aber dann, so fragt die kühne Paradoxie dieser Gedankengänge, wenn Gott ist und wir selbst sterben? Verliert dann nicht Gott seinen Sinn?

„Was wirst du tun, Gott, wenn ich sterbe?
Ich bin dein Krug (wenn ich zerscherbe?)
Ich bin dein Trank (wenn ich verderbe?)
bin dein Gewand und dein Gewerbe,
mit mir verlierst du deinen Sinn.

Nach mir hast du kein Haus, darin
dich Worte, nah und warm, begrüßen;
Es fällt von deinen müden Füßen
die Samtsandale, die ich bin.

Dein großer Mantel läßt dich los,
Dein Blick, den ich mit meiner Wange
warm wie mit einem Pfühl empfange,
wird kommen, wird mich suchen, lange —
und legt beim Sonnenuntergange
sich fremden Steinen in den Schoß.
Was wirst du tun, Gott? Ich bin bange".

Auch der cherubinische Wandersmann, Angelus Silesius, dessen mystische Predigt uns wie ein Vorspiel zu Rilkes Stundenbuch anmutet, findet für ähnliche Gedanken fast die gleiche Formulierung.

„Ich weiß, daß ohne mich Gott nicht ein Nu kann leben.
Werd' ich zu nicht, er muß vor Not den Geist aufgeben.
Ich bin so groß als Gott, er ist als ich so klein,
Er kann nicht über mich, ich unter ihm nicht sein."

Dieser Glaube, daß Gott noch nicht da ist, daß er vielmehr unsere Zukunft, unser Erbe ist, kennzeichnet Rilkes
Religiosität als eine allerinnerlichste und höchst persönliche.
Man mag in ihr den Versuch erblicken, den naturwissen-
schaftlichen Entwicklungsgang auf religiösem Gebiet weiter-
zuführen, wie Ellen Key es tut, oder darin den Einfluß des
deutschen Idealismus, etwa den Hegels erkennen, dessen
,absoluter Geist" sich ebenfalls in dem Prozesse der Selbst-
entwicklung erfaßt, wie es Theodor Steppuhn versucht, —
stets gehen die einzelnen Motive und Begriffe auf das individuelle Bedürfnis eines Einzigartigen zurück, der nur so
und nicht anders das Weltwirrwesen zu klären vermag.

Was auch die großen Propheten in dogmatischer Prägnanz über Gott ausgesagt und gelehrt haben, ihre Erkenntnisse sind für Rilke nur stammelnde Versuche, nur müde
Gleichnisse und Übereilungen. „Wenn die braven gelehrigen
Hunde euch einen Gott bringen, welchen sie mit Lebens-
gefahr apportiert haben, schleudert ihn zurück in die Unendlichkeit! Denn Gott soll nicht so aufs Trockene gebracht
werden. Er läuft keine Gefahr auf den weiten Wassern, und
eine große Zukunftswelle wird ihn auf den Strand heben,
der seiner würdig ist."

Für den Dichter des Stundenbuchs, der seine Einsamkeit
bis zu Ende getragen hat und sich in ihr jedes Besitz-
anspruchs, auch desjenigen an Gott, begeben hat, gibt es
nur eine Art Frömmigkeit, nämlich die „Gott immer höhere
Formen zu geben, einen immer reicheren Zusammenhang
zwischen ihm und dem scheinbar Unbelebten herbeizufüh-
ren . . .", mit anderen Worten: Gott ins Leben hinabsinken
und das Leben zu Gott emporblühen zu lassen.

Bereits in einem Vorspiel zu den „Geschichten vom lieben Gott" (1900), in der kleinen verschollenen Skizze

„Wladimir der Wolkenmaler", wird diese Tendenz, Gott und Leben als Einheit zu erfassen, angedeutet. Es heißt dort: „Die Menschen schauen immer von Gott fort. Sie suchen ihn im Licht, das immer kälter und schärfer wird, oben. Und Gott wartet anderswo, wartet ganz am Grund von allem. Tief wo die Wurzeln sind. Wo es warm ist und dunkel."

Prägnanter formuliert finden wir diesen Gedanken in den zwölf „Geschichten vom lieben Gott", in denen Gott in hundertfach variierter Gestalt zu den Dingen des Lebens in Beziehung tritt. „Wie die Schwerkraft das allgemeinste und stillste Gesetz ist, so ist die Frömmigkeit, die ich meine, nichts anderes als eine stete und stille Schwerkraft, welche aus den Tiefen Gottes auf die Seele wirkt und die Gesichter hinunterzieht in Schatten und Nachdenklichkeit. Die Richtung auf Gott zu kann der Richtung auf die Erde hin nicht entgegengesetzt sein. Es gibt nichts Weiseres als den Kreis. Der Gott, der uns in den Himmel entfloh, aus der Erde wird er uns wiederkommen."

*

Mit dieser umschaffenden Erkenntnis, deren Erdbeben den Dichter bis zu den letzten Quellen des Menschlichen erschütterte, ging Rainer Maria Rilkes Liebe nach seinen eigenen Worten in den Weltraum über. Ein bisher unbetretener Bezirk, dessen Durchschreitung eine höhere Aufgabe bedeutete, als die, nur Echo zu sein allen äußeren Reizen, eröffnete sich vor ihm: Gott galt es zu offenbaren in seinen reinsten Zuständen, alles, was göttlicher Gnade oder Segnung gewiß ist, in der Dinge abertausend Formen zu ergründen, alles Unscheinbare, Verachtete um seinetwillen zurückzuführen zu seinem eigentlichen, seinem inneren Wert.

Die Zivilisation hat Gott entstellt. Ihr gleißnerisches Schöntun hat ihn unseren Blicken entrückt. Aber er lebt noch in allen Mühseligen, Beladenen, Besitzlosen, vor allem in den Armen. „Denn Armut ist ein großer Glanz von innen." Nicht der trügerische Schein, der das selbstische Herz der starken Menschen, der Herrscher und Sieger umspielt, jener Helden, die Stefan Georges Wort rühmt, ist demnach unserer Liebe wert. Die Dienenden vielmehr sind es, wie der einsam mit Gott ringende Mönch, die alte Frau, der Blinde und der Bettler, der Verstümmelte und der Aussätzige, die Fremde und die Waise. Diesen Armen und Kranken der großen Städte, diesen Zerriebenen, Mißhandelten, Entkräfteten, Zerbrochenen galt hinfort Rilkes „sehendes Mitleid", das aus der fürchterlichen Entschlossenheit des Zuschauers emporsteigt, „der vor der Bühne des Lebens sitzt".

Mit einer unvergleichlichen Einfühlungskraft, mit der ganzen Schärfe seiner überwachen Sinne dringt er in die zerstörten Seelen dieser Menschen ein. Denn sie nur sind ihm in Wahrheit die im Lichte Wandelnden. Ihr leidvolles Sinnen und Rufen, ihr tragisches Warten und Hoffen, ihr stummes Schmerzverborgensein ist geheiligt durch geheime Schönheit. Da ist der Bettler, der nicht weiß, wo er sein Haupt zur Ruhe betten soll, und der deshalb in dumpfere Scham seine Augen schließt, damit man seine Sehnsucht nicht merke. Da ist der Blinde, der durch lauter Gram und lauter Leere dahingleitet, von endlosen inneren Schreien erfüllt, oder jener andere Blinde, der die plötzliche, ununterbrochen während Nacht einfach nicht begreifen kann.

> „Die Mutter weckte ich, wenn der Schlaf mir schwer
> hinunter fiel vom dunklen Gesicht,
> der Mutter rief ich: „Du, komm her.
> Mach Licht."

Und horchte. Lange, lange blieb es still,
und meine Kissen fühlte ich versteinen, —
dann wars, als säh ich etwas scheinen:
Das war der Mutter wehes Weinen,
an das ich nicht mehr denken will.
Mach Licht. Mach Licht. Ich schrie es oft im Traum:
Der Raum ist eingefallen. Nimm den Raum
mir vom Gesicht und von der Brust . . . .''

Man könnte versucht sein, diese Dichtung — Verherrlichung derer, die nicht geliebt werden, aber selber Liebende
sind — mit irgend einer sozialen Tendenz in Verbindung
zu bringen oder in ihn eine bewußt dekadente Pose hinein-
zudeuten. War doch schon einmal die Verherrlichung der
Armen, des proletarischen Dulders die Herzverstellung der
modischen Literatur. Bei der saint-simonistischen Abschaf-
fung und Neueinteilung des Eigentums galt der politische
Ruf: ,,Man achte auf den, der liebt.'' Denn nur wer am
meisten lieben konnte, sollte zu ihrem Leiter bestellt werden. Und ist nicht gerade diese unehrliche, aber gewiß ele-
gante Gesinnung der achtundvierziger Jahre, wie sie uns
,,Bouvard et Pécuchet'' schildert, immer wieder in gewissen
Zeiten neu erstanden? In der naturalistischen Epoche der
modernen Mitleidsprosa, in den proletarischen Sympathien
der späteren Ausdruckskunst? In Walt Whitmans poetischer
All-Liebe, die keine Rangordnung unter den Geschöpfen an-
erkannte, weil ihr alles heilig und göttlich war, selbst noch
das Tierverwandte im Menschen?

Handelt es sich vielleicht auch bei Rilke um eine ebensolche tendenziöse und auf den helfenden Willen der Hörer
berechnete Rhetorik, — also weniger um eine Angelegenheit
des Temperaments als um eine modische Verhimmlung des
Armen aus Humanität und Eigenliebe, aus Gefühlsromantik

und Pose? Einer solchen Deutung widerspricht allein schon die Stellung, die die Verherrlichung des Leidens in Rilkes Gesamtwerk einnimmt. Sie ist keine zufällige Einzelerfahrung neben anderen Einzelerfahrungen, sondern das inbrünstig gesteigerte Mittelerlebnis, aus dem alle anderen Ideengänge notwendigerweise hervorgehen. Dieses Zentralerlebnis aber bezieht sich nur auf das Einzel-Ich, das heißt also nicht auf irgendeinen bestimmten Stand, etwa den des Lohn- oder Fabrikarbeiters, sondern auf jeden Menschen, der von unserer begehrlichen und grausam-brutalen Zivilisation um sein innerstes Menschtum betrogen wird. Der politische Sozialist „mißt die Schalen von Menschen, die das Schicksal ausgespien hat", nach dem Idealbild des heilen, besitzenden Zustandes und empfindet aus Mitleid und mit dem Wunsche der Abhilfe den Abstand des Verstoßenen. Rilke dagegen begreift von innen her, vom Sein her; er nimmt jeden Bettler, jeden Blinden, jeden Krüppel einzeln, als eine Art für sich. Daher kann auch die ungeheure Jakobsleiter seiner aus dem Instinkt gotischer Christlichkeit geborenen Erbarmungen nichts anderes sein als die Betätigung eines Glaubens, der in dem armen, von jedem Besitz erlösten Menschen eine Offenbarung Gottes erblickt.

*

Dies erhellt am deutlichsten aus dem Gedanken der „freilassenden Liebe", — ein Gedanke, in dem der Dichter den christlichen Liebesbegriff eigentlich erst zu Ende denkt. Gemeint ist damit nicht die Liebe, die naturhaft bindet oder sozial helfen will, sondern jene in Rilkes „Parabel vom verlorenen Sohn" höchst persönlich gedeutete Liebe des äußersten Verzichts, die erst aufgeht, wo die Passion des Todes

jeden Anspruch auf Gegenliebe ausgelöscht hat, weil es nur
so möglich ist, wahrhaft zu lieben. Um ihretwillen — aus
der unsäglichen Angst um die Freiheit des Mitmenschen —
war einst der verlorene Sohn fortgegangen um in der äußersten Verlassenheit die stille und wunschlose Arbeit der Liebe
zu lernen. „Sein ganzes, in langem Alleinsein ahnend und
unbeirrbar gewordenes Wesen versprach ihm, daß jeder, den
er jetzt meinte, zu lieben verstünde mit durchdringender
strahlender Liebe. Aber während er sich sehnte, endlich so
meisterhaft geliebt zu sein, begriff sein an Fernen gewohntes Gefühl Gottes äußersten Abstand. Nun, da er so
mühsam und kummervoll lieben lernte, wurde ihm gezeigt,
wie nachlässig und gering alle Liebe gewesen war, die er
zu leisten vermeinte, — wie aus keiner etwas hatte werden
können, weil er nicht begonnen hatte, an ihr Arbeit zu tun
und sie zu verwirklichen. Er vergaß Gott beinahe über der
harten Arbeit sich ihm zu nähern."

So wächst eine Liebe empor, die jenseits der Sinne über
Geschlecht und Leidenschaft hinausreift, die — während sie
nach Erfüllung sich sehnt — schon ihre Größe überstanden
hat in Geduld: die Nonne Marianna Alcoforado, deren
„Portugiesische Briefe" Rilke aus dem Französischen übersetzte, die ägyptische Maria, Magdalena, Sappho, — Frauen,
die „auf der Höhe ihres Handelns nicht um einen klagten,
der ihre Umarmung offen ließ, sondern um den nicht mehr
Möglichen, der ihrer Liebe gewachsen war."

> „Denn das ist Schuld, wenn irgendeines Schuld ist:
> Die Freiheit eines Lieben nicht vermehren
> um alle Freiheit, die man in sich aufbringt.
> Wir haben, wo wir lieben, ja nur dies:
> einander lassen; denn daß wir uns halten,
> das fällt uns leicht und ist nicht erst zu lernen."

JOHANNES DER TÄUFER

Broncestatue von
Auguste Rodin

Wahrlich, es ist eine harte Arbeit so zu lieben, wie Rilke es im Stundenbuch und im Requiem (1909) fordert. Einsamkeit ist ihrer Erfüllung erste Bedingung. Denn in der Nähe lieben fällt schwer, es gefährdet die Liebe und weckt Wünsche, die nur der andere, wieder liebend, erfüllen kann. Darum muß man mit denen beginnen, die selbst ganz erfüllt sind mit ihren Kümmernissen und die in einem fort in sich hineinsehen wie in einen tiefen, grundlosen Brunnen: mit den Armen.

*

Wir wissen aus Rilkes Roman „Die Aufzeichnungen des Malte Laurids Brigge', wie unsäglich schwer es ist, so restlos mit den Fortgeworfenen, Ganzgeringen zu empfinden. Wir wissen aber auch, welch beseligendes Gefühl eine solche Hingabe in dem also Liebenden erweckt.

Die Gleichnisse, die der Dichter für sein Zusammensein mit den Armen findet, sprechen davon.

> „Des Armen Haus ist wie ein Altarschrein,
> drin wandelt sich das Ewige zur Speise,
> und wenn der Abend kommt, so kehrt es leise
> zu sich zurück in einem weiten Kreise
> und geht voll Nachklang langsam in sich ein.
> Des Armen Haus ist wie ein Altarschrein.

> Des Armen Haus ist wie des Kindes Hand.
> Sie nimmt nicht, was Erwachsene verlangen;
> nur einen Käfer mit verzierten Zangen,
> den runden Stein, der durch den Bach gegangen,
> den Sand, der rann, und Muscheln, welche klangen;
> sie ist wie eine Waage aufgegangen
> und sagt das allerleiseste Empfangen
> langschwankend an mit ihrer Schalen Stand.
> Des Armen Haus ist wie des Kindes Hand.

5 Buchheit, Rilke

Und wie die Erde ist des Armen Haus:
Der Splitter eines künftigen Kristalles,
bald licht, bald dunkel in der Flucht des Falles;
arm wie die warme Armut eines Stalles, —
und doch sind Abende: da ist sie alles,
und alle Sterne gehen von ihr aus."

Wir erschrecken fast vor der Kühnheit solcher Vergleiche.
Wer jedoch je hineingehorcht hat in die letzten Gründe
dieser Menschen, der wird verstehen, was der Dichter meint
mit seiner zarten Andeutung des Krippengeheimnisses von
Bethlehem („Arm wie die warme Armut eines Stalles"), mit
seinem begreifenden Hinweis auf das keusche Verstecken,
das nur der Güte die bereite Kinderhand entgegenhält.
Nicht die entstellenden Hüllen sind es, die verzerrten, ver-
unstalteten Glieder, die fahle Farbe der Gesichter, in denen
das Leben dieser wahrhaft Armen verrinnt. Wer tiefer
schaut, dem offenbaren Hand, Mund und Stirne das verborgene Leben der Seele.

„Und ihre Hände sind wie die Frauen,
im Fassen warm und ruhig im Verkrauen
und anzufühlen wie ein Trinkgefäß . . .
Ihr Mund ist wie der Mund an einer Büste,
der nie erklang und atmete und küßte
und nun sich wölbt, als ob er alles wüßte,
und doch nur Gleichnis ist und Stein und Ding.
Und ihre Stimme kommt von ferneher
und ist vor Sonnenaufgang aufgebrochen
und hat im Schlaf mit Daniel gesprochen
und hat das Meer gesehen und sagt vom Meer."

Noch aber ist ihre Zeit nicht gekommen. Noch zehren
die Mächte des Geldes und der eisernen Maschinen am Mark

der Menschheit. Ihr Lärm und Trug, ihr widriges Gleißen und ihre grausame Eitelkeit spannen jeden Nerv, jeden Willen, jede Kraft in ein unerbittliches Joch und lassen die anderer Sehnsucht sind, verwelken in Hospitälern und Särgen und in jenem grauen Elend, das keines Menschen Mund beschreiben kann. Nur Rainer Maria Rilke beschreibt es, beschreibt es ergreifender, je weniger er das Äußere seiner Erscheinungsform schildert, je tiefer er in die innere verborgene Tragik dringt, die auf dem Grunde dieses Großstadtelends wohnt.

Wohl hatte die von Tolstojs zürnender Anklage aufgerufene Dichterjugend mit nicht minderer Strenge das Phänomen der Großstadt gerichtet, allen voran Richard Dehmel und Georg Heym, aber Rilkes leidenschaftlicher Anklage vermag keine andere an Erlebnistiefe und Ehrlichkeit der Überzeugung gleich zu kommen.

„Denn, Herr, die großen Städte sind
Verlorene und Aufgelöste;
wie Fluch vor Flammen ist die größte, —
und ist kein Trost, daß er sie tröste,
und ihre kleine Zeit verrinnt.

Da leben Menschen, leben schlecht und schwer,
in tiefen Zimmern, bange von Gebärde,
geängsteter denn eine Erstlingsherde;
und draußen wacht und atmet deine Erde,
sie aber sind und wissen es nicht mehr.

Da wachsen Kinder auf an Fensterstufen,
die immer in demselben Schatten sind,
und wissen nicht, daß draußen Blumen rufen
zu einem Tag voll Weite, Glück und Wind, —
und müssen Kind sein und sind traurig Kind.

> Da blühen Jungfrauen auf zum Unbekannten
> und sehnen sich nach ihrer Kindheit Ruh;
> das aber ist nicht da, wofür sie brannten,
> und zitternd schließen sie sich wieder zu.
> und haben in verhüllten Hinterzimmern
> die Tage der enttäuschten Mutterschaft,
> der langen Nächte willenloses Wimmern
> und kalte Jahre ohne Kampf und Kraft.
> Und ganz im Dunkel stehen die Sterbebetten
> und langsam sehnen sie sich dazu hin;
> und sterben lange, sterben wie in Ketten
> und gehen aus wie eine Bettlerin."

Denn dies ist der schrecklichste der Schrecken, der letzte und boshafteste Fluch der großen Städte, daß sie dem Menschen den „eigenen Tod' nehmen und ihm dafür den anderen geben, den kleinen Tod, den man angstvoll erwartet, den Massentod, der nicht von innen, sondern wie Fäulnis von außen kommt. Diese blassen, weißerblühten Menschen, die keine Sonne zu bräunen vermag, weil deren Strahlen an den Runen ihrer Arbeitsgesichter zerbrechen würden, sterben namenlos, sterben fabrikmäßig, vielleicht für zwei Franken schon, in jenem Hotel-Dieu, das zugleich in einem freieren Sinne des Wortes die „Herberge Gottes" ist. Dort sterben sie täglich als zermürbte, hohläugige Dutzendmenschen in irgendeinem der 559 Sterbebetten. Denn „wer gibt heute noch etwas für einen gut ausgearbeiteten Tod? Niemand. Sogar die Reichen, die es sich doch leisten könnten, ausführlich zu sterben, fangen an, nachlässig und gleichgültig zu werden; der Wunsch, einen eigenen Tod zu haben, wird immer seltener. Eine Weile noch, und er wird ebenso selten sein wie ein eigenes Leben." Rilke aber wünscht für sich und die Menschen den großen, wahren Tod, den eige-

nen Tod, der aus innerstem Kern heranwächst, als die Reife,
die endet, die Grenze, die erfüllt.

> „O Herr gib jedem seinen eignen Tod,
> das Sterben, das aus seinem Leben geht,
> darin er Liebe hatte, Sinn und Not.
> Denn wir sind nur die Schale und das Blatt,
> Der große Tod, den jeder in sich hat,
> das ist die Frucht, um die sich alles dreht."

Dieser große Tod, die Endstufe unseres Werdens, es ist
der Tod, den der Cornet Christoph Rilke unter den tausend
Säbeln der Türken stirbt, nach der höchsten Erfüllung seines
Daseins, nach der duftigsten Stunde. Ist der Tod des Malte
Laurids Brigge, dessen ganzes Leben aufs Sterben hinzielt,
demütig und willentlich wie eine Passion, die zu allem Leiden brüderlich Du sagt. Ja, es ist schließlich der Tod Rilkes
selbst, der kein Ärztetod gewesen war, sondern einer, der
kam, als sich sein Blut ganz verströmt hatte in sein Dichten,
so daß für den Leib nichts mehr übrig blieb.

Denn wer hatte je dem Tode obsiegt? Nur einmal einer:
der „Innigste und Liebendste von allen", der braune Bruder
der Menschen und Tiere, der wahre Du-Mensch, der Christen
unerreichtes Vorbild: der heilige Franziskus. „Über die ganze
Erde hin hat ihn die Liebe ausgesät, verstreut, verschwendet,
so völlig, daß er nun nicht mehr auferstehen kann."

Mit der Apothese dieses Todes, des höheren, würdigen
Todes, mit der Verherrlichung des Heiligen von Assisi, dessen Armut von Anbeginn und dessen Leben nichts anderes
war als ein solcher Tod, über alle Wünsche und Regungen
des Körpers hinaus eine Reife ohne Ende, schließt Rainer
Maria Rilkes erstes großes Werk, das Stundenbuch.

Es vollendet und überwindet die gefährliche Problematik

seiner Jugend. Es ist die Blüte ihres stillen, nach innen gehenden Wachsens, der bald schon die Frucht folgen sollte.
Rußland aber, das weite Reich des Ostens, das dem ruhelos
Wandernden wie ein „Märtyrerland" erscheint, in dem „der
erste Tag, der Schöpfungstag Gottes noch dauert", beschäftigt auch in die Zukunft hinein Rilkes Denken. Denn gerade
dieses Land hat ja, wie der Dichter in einem Briefe aus dem
Jahre 1921 bemerkt, „unendliches Leid auf sich genommen... Welches das Ergebnis seines Überstehens auf dem
Grunde dieses Leids sein wird, ist unabsehlich, aber von
diesem westlichen Sich-daran-vorbeidrücken wird es ganz
und gar verschieden sein. Ja, nun zeigt es sich heillos, wie
dem Westen seine gedankliche Gewissenlosigkeit mehr und
mehr zum Vorbehalt geworden ist, zur Ausflucht vor den
Wirklichkeiten des verhängten Leids und der ernsten endlichen Freude."

„Die Wirklichkeiten des verhängten Leids und der ernsten
endlichen Freude", ich wüßte keine bessere Umschreibung
für die seelische Bereitschaft, die Rußland in Rilke geweckt
und in seinem vorbereiteten Innern zu höchster Fruchtbar-
keit gesteigert hat. In steter Verbindung mit seinen russischen Freunden bemüht er sich fortan, seine Kenntnisse
der russischen Sprache zu vertiefen. Er übersetzt Tschechow,
Ljermontoff, Dostojewski und den Bauerndichter Droshin.
Die russische Frömmigkeit mit ihrer kindlichen Einfachheit
und Schlichtheit, die für seine Kunst fruchtbar zu machen
er sich seit seiner Kindheit gesehnt, überwältigt ihn immer
wieder, und wie er bereits als Jüngling unter die Armen
ging und ihnen Trost spendete, indem er seine Gedichte an
sie verteilte, so blieb er auch sein ferneres Leben hindurch
ein Verherrlicher und Anbeter des Leidens, in dem er den
eigentlichen Inhalt christlicher Frömmigkeit erblickte .

Jedenfalls entfaltet Rilkes Charakterbild in keinem Stadium seines Schaffens so prägnante Züge wie jetzt, wo er zum ersten Male seinem großen Gegenspieler Stefan George auf dem Kampffeld der Dichtung entgegentritt. Denn wer sollte nicht, angesichts der unsäglich barmherzigen Gedanken des Stundenbuchs, die tiefe Gegensätzlichkeit erkennen, die zwischen Rilkes schmerzlicher, vor aller Ethik und allem Verstande liegender Schau und Stefan Georges marmorkühler Herrscherwelt besteht? Hier die Demut eines, der die Verwandlung aus dem geliebten in den liebenden Menschen durchmacht, der alle Beziehungen löst, um nur Gott zu dienen, ohne den heimlichen Gedanken, von ihm wiedergeliebt zu werden. Dort die Herausnahme des Menschen aus dem großen natürlichen Wertzusammenhang des Lebens und seine schier göttliche Verehrung. Bedarf es noch einer Beantwortung der Frage, ob die große innere Wandlung, die Rilke wie vordem Goethe, nur tiefer noch, umschaffender unter dem Einfluß östlicher Religiosität erfahren hat, nicht wertvoller zu nennen ist als die Herrschergeste jener, die Kultur einzig in der Vermenschlichung aller außermenschlichen Erscheinungen erblicken? Haben nicht neben dem Menschen, dem problematischen „Maß aller Dinge", auch die Pflanze, die Landschaft, das Getier, Sterne und Wolken ihr eigenes, unabhängiges, von Schönheit erfülltes, von Gesetzlichkeit regiertes Leben?

Rilke jedenfalls gibt eine andere, bescheidenere Antwort als der kühle Magier des Machtwillens, der auch hierin im Schatten eines Größeren steht. Rilke liebt die Dinge, wie sie sind, findet sie reich in ihrer Einfalt, durch die dunkle und wehrlose Leiden gehen und Ereignisse, die nur dem Demütigen willig sich auftun. Ganz so wie sein Vorbild, der heilige Franz, beginnt auch er sein Lächeln aus herber

Zucht und lebt, wenn auch fernab den Geräuschen der Welt,
so doch wirkend in seiner Stille, — ein leidenschaftlicher
Hüter der geistigen Flamme, die er vor den tödlichen Stür-
men des Tages treu zu bewahren weiß.

> „Denn er war keiner von den immer Müdern,
> die freudeloser werden nach und nach,
> mit kleinen Blumen wie mit kleinen Brüdern
> ging er den Wiesenrand entlang und sprach.
> Und sprach von sich und wie er sich verwende,
> so daß es allen eine Freude sei;
> und seines hellen Herzens war kein Ende,
> und kein Geringes ging daran vorbei.
> Er kam aus Licht zu immer tieferm Lichte,
> und seine Zelle stand in Heiterkeit.
> Das Lächeln wuchs auf seinem Angesichte
> und hatte seine Kindheit und Geschichte
> und wurde reif wie eine Mädchenzeit.“

WORPSWEDE

»Wir suchen überall das Unbedingte
und finden immer nur die Dinge«.
Novalis.

»Und das heißt mir aller Dinge unbefleckte Erkenntnis, daß ich von den
Dingen nichts will; außer daß ich vor
ihnen daliegen darf wie ein Spiegel
mit hundert Augen«.   Nietzsche.

Irgendwo im Norden Deutschlands liegt ein Garten wie ihn
die Dichter erträumen. Ein Garten, von keinem Gärtner gemacht. Mit schwarzen, schwankenden Sümpfen, in denen
seltsam Getier haust. Mit Bäumen, die Menschen gleichen,
so groß sind sie geschnitten, so wuchtig ihre Gebärden. Mit
weiten Ebenen, die vom Licht des Horizontes leben und
in den Falten schlafen, die Wasser und Wege in sie eingegraben haben. Und mit vielen Winden, die den Rauch
der geduckten Häuser weit forttragen in spielenden Tänzen.
Flach liegt dieser Garten da, unter einer ungeheuren Glas-
glocke, die in immer anderen Farben schimmert. Meist
streichelt ein großes sehnsüchtiges Blau seine dunkle und
schwere Erde, ein Blau, das vom Grau der Schwermut über-
schattet ist. Ein Blau wie das Meer, das einmal vor Jahr-
tausenden hier stieg und fiel und Dünen zurückließ, die nun
von Menschen bewohnt werden, von Bauern, Torfstechern
und — Malern. Denn auch Maler sind in diesem Lande,
stille, vorsichtige Handwerker, die die Rätsel der Heide be-
tasten als seien sie Blüten, die nur der liebenden Hand sich
willig erschließen. Sie sind jung, diese Maler, und noch trun-
ken vom Rhythmus des Lebens.

75

Aus den großen Städten sind sie gekommen, der eine von da und der andere von dort. Sie kannten sich vordem nicht, aber als sie sich begegneten, gaben sie sich die Hände und nannten sich Freunde. Und es war, als hätten sie sich schon immer gekannt. Eines Tages, in einer Stunde, da die Dämmerung jeden Schritt mit ihrem schmeichelnden Samt umhüllte, stand auch Rainer Maria Rilke unter ihnen. Auf seinem schmalen Gesicht lag noch der Ernst des russischen Winters und der Widerschein einer langen Zwiesprache mit Gott. Er war von weither gewandert um sich hier — in Worpswede — auszuruhen. Denn in seiner Einsamkeit, die fast kein Laut, höchstens der Sang eines Vogels oder das Amen eines Beters unterbricht, ruht es sich besonders gut. Da werden keine Ereignisse laut und selbst die Bewegungen, die am Himmel aufsteigen und in das Wollen des Menschen eingehen, verlangen nichts von ihm. Sie geben nur, was er sich wünscht: die Stille und das Gleichnis. Beides aber, die Stille und das Gleichnis, er braucht sie um darin seine Erinnerungen zu ordnen, die braunduftend wie die vergilbten Briefe der Ahnin vor ihm liegen. Wenn er sie vor den Saum des Himmels breitet, der seine neue Herberge behütet, da werden sie groß und deutlich und verwischen sich nicht mehr.

Denn vieles ist noch um ihn: der Sturmatem der russischen Ebene, das schwere Wort des greisen Führers Leo Tolstoj, der Klang der Selbstgespräche, die das Reifen des Stundenbuchs begleitete. Auch die Angst ist noch in ihm, die Angst vor den tausend und abertausend Dingen einer neuen und unbekannten Welt, die gegen die alten Eindrücke einen stummen aber beständigen Kampf führt. Und gerade hier, wo die Linien einsam, unscheinbar sind, ohne Pathos, ohne Gewalt, wird die Schwere der Dinge doppelt spürbar. Vor ihrem Gewicht, vor ihrer gesättigten Ruhe hört der

Mensch auf wichtig zu sein. Er tritt zurück vor der stolzen Unberührtheit der Natur, die an jedem Tag voller Zukunft ist und deren Ende keiner erleben wird.

Einst, da die Kunst den Menschen mit den Bruchstücken der Natur schmückte wie man Frauen mit edlen Steinen ziert, fühlte sich des Menschen Hochmut noch als Mittelpunkt der Welt. Jetzt ist er kleiner geworden, kleiner und größer zugleich. Denn an dem Maß der Natur gemessen, mit den Augen der Natur gesehen, muß der Mensch wachsen. Er wird selbst wieder Natur, nicht mehr als ein Baum, aber so viel wie ein Baum. Sein Schritt erhält die Weite des Sturmes oder den müden Gang des abendlichen Wassers. Sein Antlitz geht ein in die Schwere der Erde, in die Verwitterung des Steines; es wird tiefer und wahrhaftiger, weil es so erlebt wird, wie es jener Rembrandt van Ryn zu erleben vermochte, der in die Gesichter hineinsah wie in Länder mit weitem Horizont und hohem, wolkigem, bewegtem Himmel. Das heißt: Mensch und Landschaft sind eins. Der eine ist in die andere eingegangen und keine Rangordnung trübt mehr ihren Wert.

Diese letzte, ganz unfanatische Liebeserfahrung, die ohne viel nachzudenken, Menschen und Dinge als Erscheinungen derselben gesetzlichen Kraft verehrt, sollte auch Rainer Maria Rilke in der norddeutschen Malersiedlung Worpswede zuteil werden. Nur hier war ein Land, mit dessen Dingen er sich sagen konnte, — ein Land „voll Hoffnung und Heiterkeit, voll Sterne und Stille." Düster flimmernder Himmel am Abend, Helle über Meer und Kornfeld am Morgen, — und die Männer wie die Gebärden der Bäume, die Mädchen wie Gesang der Bäche und Tanz der Winde!

Lange und geduldig mag Rilke dort um das Vertrauen der Dinge gerungen haben, bis jeder Atemzug eine neue Wahrnehmung brachte: „von Linden, von reifem Getreide, von Heu und Reseden," — bis er, der Natur mit allen seinen Fibern preisgegeben, selbst zur Landschaft wurde. Denn die Dinge, und gerade die unscheinbarsten, erschließen ihre Geheimnisse nicht ohne weiteres; sie fragen ihn zuerst, — wie er in einem Briefe an eine Freundin erzählt, — „ob er auch frei sei, ob er auch bereit sei, ihnen seine ganze Liebe zu widmen, sich mit ihnen zu betten, wie Sankt Julian der Gastfreundliche sich mit dem Aussätzigen bettete, in jener äußersten Umarmung, die sich nie in einer gewöhnlichen und flüchtigen Nächstenliebe erfüllen kann, sondern die die Liebe, die ganze Liebe, alle Liebe, die auf Erden sich findet, zum Antrieb hat? Und wenn so ein Ding sieht, wenn es dich beschäftigt sieht, selbst mit einer Zelle deines Interesses, so verschließt es sich dir. Es spendet dir vielleicht mit einem Wort eine Regel, macht dir ein kleines, leicht freundliches Zeichen, aber es versagt es sich, dir sein Herz zu geben, dir sein geduldiges Wesen zu vertrauen und seine sternhafte Stetigkeit, die es so sehr den Konstellationen des Himmels gleichen läßt."

Es genügt daher nicht, die Dinge beliebig lange zu beobachten. Man muß sie eine Zeitlang als das einzige nehmen, das existiert, als die einzige Erscheinung, die durch eine „arbeitsame und ausschließliche Liebe sich in den Mittelpunkt des Universums gestellt findet und der an jenem unvergleichlichen Platz an jenem Tage die Engel dienen."

Und selbst dann wird man noch nicht den Herzen der Dinge näher kommen. Eine ganz bestimmte Tagesparole erst muß den Verkehr, den kein Egoismus entzünden darf, bis ins Kleinste, Einzelste hinein regeln, und es muß sein wie im Märchen, wo Prinzen mit Geduld um arme Mädchen freien, wie in der Kindheit Otto Modersohns etwa, wo der

Garten eine Welt bedeutete, die man sich schrittweise erobern mußte. „Da war keine Blume zu klein, sie wurde befragt und mußte sagen, was sie wußte. Kein Käfer war zu gering; er lebte doch immerhin mitten drin, und man konnte eine Menge von ihm lernen. Nicht nur die Bäume, Büsche und Blumen kannte man; es war eine fortwährende Volkszählung der gesamten Einwohnerschaft des Gartens im Gange und ein jeder Vogel, der sich vorübergehend innerhalb der Efeumauern aufhielt, mußte angemeldet sein. Man hielt offenes Haus und machte, was die Gäste anbetrifft, keine Ausnahme. Spinnen, mit Eiersäcken beladen, gingen aus und ein, Fliegen und Falter, Ameisen im Arbeitsrock und vornehme Käfer im grünen, golden schimmernden Staatsfrack. Und schließlich verkehrte man, in aufgeklärter Weise, auch mit den Gespenstern dieser kleinen Welt, den Larven. Man zitierte sie aus ihrem Grabe und sie kamen, mumienhaft, wie in unzählige Bänder eingebunden, lang, schmal und mit verschleiertem Gesicht; man durfte sie nicht übergehen, denn sie wußten am meisten von der Zukunft."

Auf diese Weise mit Aufwendung eines gesammelten Willens den Ereignissen des Waldes und des Himmels hingegeben, gelang es dem Dichter, der Natur wieder so nahe zu kommen, wie er ihr, freilich ohne es zu wissen, einst in der Kindheit gewesen. Er lernte die Sprache der windzerzausten Föhren, erfuhr den violetten Hauch der Heide, lauschte dem ewigen Lied der Wellen, dem Verrinnen des Sandes und dem Sirren der warmen Sommerluft. Das noch von keiner Hand entweihte Antlitz der Natur, die Einsamkeit ihrer Weiten, die Heimlichkeit ihrer Gehege, worin die Elemente der Schöpfung in freiem Spiel ihr Wachstum entfalten, öffnete sich willig seinem liebenden Sinn.

*

Zum ersten Male erstand um Rilke die Macht der Gegenwart: einer geschlossenen wahn- und fraglosen Welt — einer Welt, die nicht an unserm Leben teilnimmt, sondern sich selbst genießt im Blühen und Welken, in Sommerglut und Novembersturm, in einem ewigen seligen Gleichgewicht der Kräfte.

„Ich lerne sehen. Ich weiß nicht, woran es liegt, es geht alles tiefer in mich ein und bleibt nicht an der Stelle stehen, wo es sonst immer zu Ende war. Ich habe ein Inneres, von dem ich nicht wußte; alles geht jetzt dorthin. Ich weiß nicht, was dort geschieht.‟

Um es auf eine Formel zu bringen: in diesem Erlebnis liegt die Bedeutung Worpswedes auch und gerade für Rilke. Denn nicht immer stand der Mensch der Natur so gegenüber wie der Dichter zu dieser Weltstunde. Es gab Zeiten, da versuchte er sie zur Teilnahme an seinem Leben zu überreden. Sie sollte ihre Feste nur ihm zuliebe feiern, und er wollte der hohe Gast dabei sein. Aber die Natur blieb stumm. Sie ließ es zwar geschehen, was der Mensch an ihr tat, ließ zu, daß er Burgen und Schlösser, Mühlen und Kapellen in sie hineinbaute, daß er mit Fabriken und Spielplätzen die Frühlinge erstickte, die bereit waren aus den Krumen zu steigen. Sie ertrug schweigend diese Gewalt und zog sich in einsame Heiden und Moore zurück. Zuweilen ratterte noch eine Postkutsche an ihr vorüber, ein paar Gesellen, das Felleisen auf der Schulter, hielten kurze Rast. Doch ihre Schlichtheit vermochte die träumerischen Wanderer nicht zu verlocken. Deren phantastischer Sinn suchte Klippen und Schloßtrümmer, Gießbäche und sturmgestürzte Fichten, — Landschaften, in deren Verwilderung die Abenteuer des Schwertes und der Liebe erwachten. Nymphen und Faune, Elfen und Gnome sollten diese romantische Staffage be-

DAS TURMSCHLOSS MUZOT

leben und denen, die sie belauschten, die Wunder einer traumhaft schönen Märchenwelt erschließen.

Da traten eines Tages andere Menschen in diesen magischen Kreis, Menschen wie Jakob Ruysdael, — Einsame, die „wie Kinder unter Erwachsenen lebten und vergessen und arm verstarben", — feine, bescheidene Eklektiker wie die Meister von Barbizon, die es hinaustrieb in das befriedete Land um den Eindruck des Lichts, den Staub in der Mittagssonne, den Nebel und das Tanzen der Wolken zu studieren. Sie gingen in die Dörfer, sie wanderten in die Linien der Ebene hinaus, sie malten geduckte Hütten und Bäume und feierten die Gebärden der Einsamkeit. Denn diese Stillen wußten, daß nicht nur in den verzauberten Burgen, in den unergründlich schweigenden Seen und in den donnernden Gebirgsbächen der Blutstrom des Lebendigen pulst. Auch in den Ebenen und gerade in ihnen, deren einzige Gebärde der Himmel ist, glüht die Unendlichkeit. Und siehe: auf einmal fanden auch alle andern, die märchenfrohen Käuze, die asketischen Einsiedler, die frommen Mönche wieder zurück zur schlichten, erdverwurzelten Liebe, die die Landschaft der Nähe umfängt. Wie Hölderlins Empedokles, so wollten auch sie ihren Abfall von der allmächtigen Einheit der Natur sühnen, indem sie ihr allzu selig in sich selbst versponnenes Menschtum wieder in die eine und unendliche Natur zurückströmen ließen.

Ein neues Naturgefühl durchdrang Dichtung und Kunst. Man gab nicht mehr allein, was das Auge sah oder das Herz begehrte. Man fügte alle Geräusche und Stummheiten, allen Duft und jede, auch die feinste Farbennuance hinzu: den Druck des Windes, den lauen Atem des Dickichts, das Knarren der Strandfähnchen am Ufer des Meeres, den Brodem sommerlicher Schwüle in Wald und Anger. Denn alle Sinne hatten wieder Anteil an den unerschöpflichen Wundern der Natur.

Was hat nun aber diese neue Naturerfahrung mit Rainer Maria Rilkes Aufenthalt in Worpswede zu tun? So wunderlich es auch klingen mag: der Abseitige, Weltverlorene, der in Rußland die Realität aller Realitäten — Gott erfahren hat, erlebt jetzt, erschüttert von der geheimnisvollen Größe der Welt, die schicksalhafte Urmacht der Natur. Er, der melancholisch die Wirklichkeit verneinte, überwindet — von Georges priesterlichem Pathos, von Dehmels und Momberts Weltgesängen angerührt, — den sentimentalen Sänger in sich und findet zurück zum Vertrauen der Erde.

„Die Welt verlor das Wolkige für mich, dieses fließende Sichformen und Sich-Aufgeben, das meiner ersten Verse Art und Armut war; Dinge wurden, Tiere, die man unterschied, Blumen, die waren, ich lernte eine Einfachheit, lernte langsam und schwer, wie schlicht alles ist, und wurde reif, von Schlichtem zu sagen."

Damit wandelt sich, verengt sich zugleich seine künstlerische Aufgabe. Bezog sie sich früher auf die einzelnen Manifestationen Gottes, auf einen intimen und ernsten Umgang mit seinen „tausend und abertausend Erscheinungen", so will sie jetzt vor allem den irdischen Dingen gerecht werden. Sie will das Ewige in ihnen erhellen und „das innere Leuchten aufzeigen an dem Vergänglichen." Die Natur, die Landschaft — gesehen und erlebt durch das Medium des Menschen — wird Thema der Dichtung.

Es soll damit nicht behauptet werden, daß Rilke etwa diese Neuorientierung der Natur gegenüber als erster in die Lyrik eingeführt habe. Das haben andere vor ihm getan; er hat sie nur bewußter als seine Vorgänger in sein eigenes künstlerisches Schaffen einbezogen.

Wie die unter dem Einfluß des Worpsweder Aufenthaltes entstandenen Werke — verschiedene Gedichte im „Buch der Bilder" (1902) und in den „Neuen Gedichten" (1907) — beweisen, sammelt der Dichter jetzt Eindrücke, — Impressionen, die ihm aus der Fülle des Sehens zufließen, und bildet sie in der ganzen Gesprächigkeit des souveränen Geistes, der ihn beseelt, zu Gebärden, Farben und Rhythmen, zu Bekenntnissen, deren Gegenstand die Erde selbst ist. Unverkennbar überträgt er dabei, ständig im Ringen um eine gemäße und in sich vollendete Form, die Technik der Malerei auf sein eigenes Handwerk.

War seine Lyrik bisher vorwiegend musikalischer Natur gewesen, eine „Vertonung" fast unsagbarer Gefühle und Vorstellungen, so formen sich jetzt nach dem Vorbild der Worpsweder Maler seine Verse zu Gebilden mit festeren Konturen, die das beziehungsreiche Leben von Mensch, Tier und Ding in schärferer Umgrenzung wiedergeben. Der Rhythmus, bisher mehr von innen heraus wachsend und flutend, wird klarer und abgetönter, weil er in einer malerischen Farbigkeit und in einer so wunderbar einfachen Prägnanz ruht, daß jede Disharmonie, jede noch so schmale Kluft zwischen Gedanke und Klang, zwischen Sinn und Gewand überbrückt erscheint.

Ja, es ist geradezu, als ob auf jeder Landschaft, die Rilkes Fuß nun berührt, seit dieser Entdeckung ein Abglanz seiner Liebe liegt. Ob es die Moore und Ebenen der niederdeutschen Heide sind oder die bei aller Großartigkeit doch so zarte Umgebung eines oberbayerischen Sees, immer tut der Dichter ein fast Unmerkliches an der Natur: er erschließt sie uns, aber ganz ohne Absicht, so daß die Schleier, die ihre Schönheit vor der Berührung des Menschen schützen, unversehrt bleiben.

„Daß man ihm nun ansah, wie er im Herzen die Ernte des Tages trug, dies war das Geringste. Das Schönste war: daß man dem Chiemsee anmerkte, Rilke sei dagewesen, der Mensch, der Rilke hieß, dies Herz, dies Auge, diese Sohle. Nun flog er aus den Scheiteln der Landschaft auf wie geheime Pfingstflammen, unmerkliche Pfingstflammen, als eine Schar von Lichtern, zarter als die Heiligenscheine von Heiligen, die sich scheuen, als Heilige angesehen zu werden. Die Welt glänzte leise um das Haupt dieses Menschen; aber noch schöner war, daß sein inniger Geist leise aus dem Antlitz der Welt flammte. Ich sehe ihn zurückkommen; er brachte meiner Mutter ein Fläschlein goldgelben Likörs von den Nonnen der Fraueninsel. In märchenhafter Entfernung von dieser Freundlichkeit lag am Grund seiner Augen, seiner Seele das Erlebnis des Tages. Man wußte aber auch: eigentlich war dieser Dichter draußen geblieben; er war nicht eigentlich zurückgekehrt; die Welt draußen, die grüne, blaue, blütenweise Welt, auf die nun das Rosa des Abends niederrieselte, hatte ihn für sich behalten." (Wilhelm Hausenstein.)

Was in diesen Worten als Erinnerung eines Freundes zu uns spricht, findet seine Bestätigung im „Buch der Bilder", dessen verhaltene Schönheit des Dichters Naturliebe wohl am reinsten offenbart. Man braucht nur das Hans Thoma gewidmete Gedicht „Die Mondnacht" zu lesen, um sofort inne zu werden, wie Rilke aus ganz wenigen Gesichts- und Gehörsmomenten die süddeutsche Landschaft mit „Mond, Geiger und aller Märchen Wiederkehr" hervorzuzaubern versteht, so echt und so sicher, als habe sie der Meister selbst gemalt. Vor allem aber ist es die Ebene, der große Kreis des Horizontes mit seinen hellen Birkenalleen und weiten Wiesen, an deren einfachen Linien der Dichter —

ähnlich wie Jens Peer Jakobsen — seine lyrische Schaffens-
kraft erprobt.

> „Im flachen Land war ein Erwarten
> nach einem Gast, der niemals kam;
> noch einmal fragt der bange Garten,
> dann wird sein Lächeln langsam lahm.
> Und in den müßigen Morästen
> verarmt im Abend die Allee,
> die Äpfel ängsten an den Ästen
> und jeder Wind tut ihnen weh."

Wie die Irrlichter in den Märchen, die nach einem Wort
Hugo von Hofmannsthals „das nährende Gold aus allen
Fugen und Spalten in sich aufnehmen", so hebt auch Rilke
aus jedem Ding „sein Eigenstes, sein Wesenhaftestes"
heraus.

„Die Gegend war flach, das ließ sich nicht leugnen, aber
durch die Tiefe ihrer Schatten und die Höhe ihrer Lichter
waren Abgründe und Gipfel vorhanden, zwischen denen eine
Unzahl von Mitteltönen jenen Regionen weiter Wiesen
und fruchtbarer Felder entsprach, die den materiellen Wert
einer gebirgigen Gegend ausmachen. Es waren nur wenig
Bäume vorhanden und fast alle von derselben Art, botanisch
betrachtet. Durch die Gefühle indessen, welche sie ausdrück-
ten, durch die Sehnsucht irgendeines Astes oder die sanfte
Ehrfurcht des Stammes erschienen sie als eine große Anzahl
individueller Wesen, und manche Weide war eine Persönlichkeit, die durch die Vielseitigkeit und Tiefe ihres Charakters Überraschung um Überraschung bereitete." (Geschichten vom lieben Gott.)

Wohl führten Rilkes „Neue Gedichte" weniger in die
freie und unbeschnittene Natur als in die kunstvoll stili-
sierten Parks und in die pretiösen französischen Gärten,

deren Zauber in der schwermütigen Stimmung des Alterns liegt, die Natur und Kunst hier in gleicher Weise ergriffen hat. Die Art jedoch, wie Rilke diese oft nicht immer einfachen Sinneseindrücke wiedergibt, verrät deutlich seine Bildung und optische Schulung durch den Umgang mit der unverbrauchten und ungehegten Natur. Denn sie war sein zweiter großer Lehrmeister, wie Tolstoj und Rußland seine ersten gewesen sind, und von ihr hat er erfahren, wie ein Platz in einer kleinen einsamen Stadt über Morgen und Abend hinausträumt, — wie ein fruchtbeladener Segler auf dem Meere zieht, — eine Frau aus erleuchtetem Fenster tritt — wer denkt da nicht an Kaspar David Friedrich? — oder stumme Dörfer im Monde träumen. Nie vorher begegnete man von Dichterhand geschaffenen Gleichnissen von so hinreißend suggestiver Kraft der Stimmung, von einer so flutenden Bewegung. Ob es sich um ein Blumenarrangement handelt oder um einen Torfkahn, der zwischen Binsen und Birken auf moorigem Grund dahingleitet, stets entladen die Farbennuancen unter Rilkes Berührung ihre letzten und feinsten Energien. Der Dichter erreicht darin auf seinem Gebiet die Kunst der großen Stillebenmaler, und an einen Renoir oder van Gogh erinnert die impressionistische Farbengebung, mit der er in einem lyrischen Intermezzo die künstlerischen Reize einer „Blauen Hortensie" darstellt.

> „So wie das letzte Grün in Farbentiegeln
> sind diese Blätter, trocken, stumpf und rauh,
> hinter den Blütendolden, die ein Blau
> nicht auf sich tragen, nur von ferne spiegeln.
>
> Sie spiegeln es verweint und ungenau,
> als wollten sie es wiederum verlieren,
> und wie in alten Briefpapieren
> ist Gelb in ihnen, Violett und Grau;

Verwaschenes wie an einer Kinderschürze,
Nichtmehrgetragenes, dem nichts mehr geschieht:
wie fühlt man eines kleinen Lebens Kürze.
Doch plötzlich scheint das Blau sich zu erneuern
in einer von den Dolden, und man sieht
ein rührend Blaues sich vor Grünem freuen."

Entscheidend ist in solchen Versuchen die Eindringlichkeit, mit der der Organismus der Natur in seiner Wirkung auf den Beschauer erfaßt und bildhaft wiedergegeben wird, so daß man wohl sagen kann: dies ist eine Blume, ein Blatt oder ein Grün, aber nicht wie sie sind, sondern wie sie der Dichter, wie sie Rainer Maria Rilke sieht. Jedes Studium der plastischen Erscheinung, der genauen Umrisse, der Farbenteilung und der Formenverästelungen liegt hier gleichsam hinter den Kulissen der künstlerischen Arbeit. Die Filder der Wimpern reinigt den Gegenstand von allen Härten und Einzelheiten, so daß ein einmaliges, lebendig durchströmtes Werk entsteht.

Es läßt sich denken, daß eine derartige Verarbeitung der Eindrücke eine ungewöhnliche Schulung des Auges und eine souveräne Beherrschung der sprachlichen Ausdrucksfähigkeit voraussetzt. Wir wissen aus der 1903 erschienenen ästhetischen Abhandlung über „Worpswede", wie ernsthaft der Dichter sich dieser Aufgabe gewidmet und wie intensiv er sich in diesem Stadium seines Lebens mit Malerei überhaupt beschäftigt hat. Er selbst gibt in seinem Buch, das dem Andenken der niederdeutschen Malersiedlung gewidmet ist, eine einzigartige Schilderung der verschiedenen Etappen der Landschaftsmalerei und was er zum Beispiel von Rembrandt, von Boecklin und Théodore Rousseau oder von Philipp Otto Runge sagt, daran wird keine künftige Geschichtsschreibung, die den gleichen Gegenstand zum Thema hat, vorübergehen können. Denn die Gedanken, die er äußert, sind nicht nur das Beseelteste, was bisher vom Sinn der Landschaft und von ihren geheimnisvollen wechselnden Beziehungen zum Menschen geschrieben worden ist; sie lehren uns vielmehr auch zugleich auf eine unnachahmlich bescheidene Weise, wie wir in das Wesen der Landschaft und der ihr entliehenen malerischen Motive tiefer einzudringen vermögen.

Eine ganz neue Art der Kunst — und Naturbetrachtung, eine höchst persönliche und sozusagen lyrische Betrachtungsweise, wie sie der seelischen Struktur Rilkes entspricht, öffnet sich vor uns. Statt vieler einzelner Beispiele sei hier nur an die Worte erinnert, die der Dichter einem Gemälde Fritz Mackensens widmet. Er wendet sich darin gleichsam an einen sechsten Sinn, der alle anderen Sinne zusammenfaßt und, von der Stimmungsfähigkeit des Betrachters genährt, dessen Gefühle weit über den Bildinhalt selbst hinausführt.

„Obwohl es sich in diesem Bilde", so erzählt Rilke, „um ein Interieur handelt, ist Mackensen auch hier Landschafter. Diese Menschen stehen um den kleinen Leichnam, als stünden sie am Ufer eines Teiches, in welchem das Kind ertrunken ist. Nicht eine von den gewöhnlichen Zufälligkeiten des Innenraumes spricht hier mit herein. Und nur weil es diesen in sich versunkenen Menschen gleichgültig ist, was sie umgibt, scheinen die stillen Wände sich hinter ihnen zu schließen. Man denke, was Israels hier gegeben hätte. Das Interieur hätte gesprochen, die Dinge, das Fenster. Die Menschen, auch wenn sie ebenso regungslos gewesen wären, würden gesteigert erschienen sein, verlassen, arm, fassungslos, persönlich geworden im Schmerz. Große Menschenmaler sagen immer das Individuelle, Zugespitzte, Isolierte. Hier aber in der „Trauernden Familie" ist das Allgemeine gesagt worden, das Landschaftliche gleichsam. Wenn wir einen Wald traurig nennen, dann stehen die Bäume so: zusammengerückt und doch einzeln, stumm, hängend, wie gebunden an etwas Unsichtbares. Diese Leute haben gearbeitet, sie haben nicht viel Zeit gehabt, sich mit dem kleinen Kinde zu beschäftigen; es ist ihnen fast fremd und macht sie, im Augenblick, da es geht, verlegen wie ein Gast. Meistens war es den Geschwistern überlassen. Mit denen hat es gelebt, denen hat es zugelacht, sie begannen es zu verstehen. Auf sie fällt der Schatten dieses Verlustes. Aber ein Verlust ist nur eine Überraschung für sie, und Überraschungen sind Augenblicke. Morgen werden sie wieder lachen. Und die Eltern werden wieder arbeiten. Sie stehen still beisammen, bedrückt durch die Stille, durch die Kleider, die sie tragen, durch den unerwarteten Feiertag, der so mitten hinein in die Woche kam. Sie denken nicht an den Tod; sie denken an das Leben, das vergeht."

Wir begreifen: eine derartige Analyse erschließt nicht einen, sie erschließt unzählige neue Wege zum Verständnis der Malerei. Indem sie über eine bloße Inhaltswiedergabe weit hinausgeht, verrät sie viel vom Wesen Fritz Mackensens, ebensoviel aber auch von der Einfühlungskraft seines Beurteilers, dem es nicht um das Gegenständliche allein, dem es vielmehr um die letzten Ursprünge und Zusammenhänge eines Bildmotivs zu tun ist.

Dabei gilt als selbstverständlich, daß diese Kunstcharakteristik ihre Berechtigung vor allem da hat, wo ein dem Dichter besonders vertrautes Thema in Frage steht. Es ist daher an der Zeit, den Namen François Millets auszusprechen. Was Rilke von diesem Meister des „Paysage intime" erwähnt, interpretiert zugleich aufs treffendste seine eigene Kunstauffassung.

Ähnlich wie die Sprache nichts mehr mit den Dingen gemein hat, welche sie nennt, so haben die Gebärden der meisten Menschen, die in den Städten leben, ihre Beziehung zur Erde verloren, sie hängen gleichsam in der Luft, schwanken hin und her und finden keinen Ort, wo sie sich niederlassen könnten. Die Bauern, welche Millet malt, haben noch jene wenigen großen Bewegungen, welche still und einfach sind, und immer auf dem kürzesten Wege auf die Erde zugehen. Und der Mensch, der anspruchsvolle, nervöse Bewohner der Städte, fühlt sich geadelt in diesen stumpfen Bauern. Er, der mit nichts im Einklang steht, sieht in ihnen Wesen, die näher an der Natur ihr Leben verbringen, ja er ist geneigt, in ihnen Helden zu sehen, weil sie es tun, obwohl die Natur gegen sie gleich hart und teilnahmslos bleibt wie gegen ihn."

Zu diesen Worten findet sich in Schillers Abhandlung „Über naive und sentimentalische Dichtung" eine höchst bedeutsame Parallele. Im ersten Satz wird dort als Inhalt der sentimentalischen Sehnsucht eine Art von Naturliebe erwähnt, die sich in gleicher Weise auf Pflanzen, Mineralien, Tiere, Landschaften wie auch auf die menschliche Natur in den Kindern, in den Sitten des Landvolks und der Urwelt zu erstrecken vermag, und zwar nicht zum Zwecke einer Verstandes- oder Geschmacksbefriedigung, sondern einzig um der Natur selbst willen. „Jeder feinere Mensch, dem es nicht ganz und gar an Empfindung fehlt, erfährt dieses, wenn er im Freien wandelt, wenn er auf dem Lande lebt oder sich bei den Denkmälern der alten Zeit verweilt, kurz, wenn er in künstlichen Verhältnissen und Situationen mit dem Anblick der einfältigen Natur überrascht wird.... Diese Art des Interesses an der Natur findet aber nur unter zwei Bedingungen statt. Fürs erste ist es durchaus nötig, daß der

Gegenstand, der uns dasselbe einflößt, Natur sei oder doch von uns dafür gehalten wird; zweitens daß er in weitester Bedeutung des Wortes naiv sei, das heißt, daß die Natur mit der Kunst im Kontrast stehe und sie beschäme. Sobald das Letzte zu dem Ersten hinzukommt, und nicht eher, wird die Natur zum Naiven. Natur in dieser Betrachtungsart ist uns nichts anderes als das freiwillige Dasein, das Bestehen der Dinge durch sich selbst, die Existenz nach eigenen und unabänderlichen Gesetzen. ... Wir lieben in ihnen das stille, schaffende Leben, das ruhige Wirken aus sich selbst, das Dasein nach eigenen Gesetzen, die innere Notwendigkeit, die ewige Einheit mit sich selbst.“

Nichts anderes als dieses „stille, schaffende Leben“, dieses „ruhige Wirken aus sich selbst“ ist auch der Gegenstand von Rilkes Hingabe, von Rilkes menschlich künstlerischem Streben. Pflanzen, Tiere, Berge und Ebenen, Kinder und Bauern — alle einfachen und in sich selbst ruhenden Welten, — sie, die nach Schillers Formulierung „unsere verlorene Kindheit darstellen“, bilden auch das Ziel seiner Wanderschaft. Während die Mehrzahl der Menschen in der Unnatur der großen Städte ein weichliches Dasein genießt, folgte Rainer Maria Rilke dem Rufe „Zurück zur Natur“. Nicht so impulsiv zwar und pathetisch öffentlich wie Rousseau, aber gläubiger und inniger in seiner Hingabe als selbst Goethe. Denn Rilke diente der Natur und nur so — als ein Dienender — durfte er Vertrauen von ihr erwarten. Er brauchte ein Ding nur anzusehen, da nahm es sich willig zusammen und sagte zu ihm: Sieh, ich bin gut. Goethe dagegen blieb allzeit, selbst im Angesicht der Natur, der Mensch, das Maß der Welt. Ihn sonderte von ihr allein schon die bestimmte Absicht: sie zu erkennen. Denn das Erkennen hat der Mensch allein. Darum blieb Goethe auch als Dichter der Natur-Erforscher, auch als Naturverehrer der erkennende Geist.

„Die Natur war in ihm zu sich selbst erwacht; aus ihr entstiegen, blieb er zeitlich gleichsam nach rückwärts gerichtet zu ihr, aus der er kam" (Albrecht Schaeffer). Solchermaßen Hellene, vermochte Goethe es nicht, sich der Natur als Liebender zu nahen, d. h. als einer, der sie umsehnt und umschmeichelt, ja sich schließlich selbst in ihr aufzugeben vermag. Rilke dagegen lebte ein stetes, tiefes, brüderliches Vereint-Sein mit ihr. Er fühlte sich zu klein, zu armselig vor der Natur, als daß er es gewagt hätte, ihre Geheimnisse durch Erforschen zu ergründen. Daher spricht auch aus seinen Gedanken niemals der Wissenschaftler, auch nicht etwa allein der Ästhet Rainer Maria Rilke, sondern stets der Mensch, den ein neues Verhältnis zur Welt um und um gewandelt hat.

Denn erst jetzt, da ein ganz untragisches Abenteuer sein Denken von allen Antithesen befreit und sein Herz von allem Zwiespalt erlöst hat, vermag er sich mit Ruhe in die Geheimgesichter der Menschen zu vertiefen und aus ihnen wie auf einem Zifferblatt die Stunden abzulesen, die ihre Seelen tragen. Welches Thema er auch anschlägt, — ob er vom Winter redet, der da kam „mit langen Abenden und Gesprächen und Bildern", oder von irgendeinem Landschaftsbild, das keine Figuren kennt und darum rein erfüllt ist von demjenigen, der es geschaffen hat, — stets beweist der Dichter, daß er die Grammatik der Natur ebenso gründlich erlernt hat wie die der Sprache. Mit dem Vokabelbuch in der Hand studiert er gleichsam das „Zwischenreich der Natur" und schreibt gewissenhaft ihre großen und kleinen Worte nach, — frisch und einprägsam, so wie er einst die Spiele der Kinder oder die grünspangrüne Turmkuppel von

Sankt Nicolaus wiedergegeben. Ja, er war nun, unter Malern, selbst zum Maler geworden, und was er in seinem Buch über „Worpswede" von der künstlerischen Entwicklung seiner Freunde Mackensen, Modersohn, Overbeck, Hans am Ende und Vogeler erzählt, könnte man nahezu von ihm selbst berichten, soviel Versteckt-Autobiographisches — Analyse und Wertung des eigenen Typus — schimmert durch seine Worte.

*

Rilkes Lebensrhythmus verlangte die Einsamkeit wunsch- und triebloser Stunden, verlangte die beredte Ansprache der Natur, die ihn mit immer neuen Wundern ungeahnt herrlich umgab. Die Moorgräben vor seinem Fenster lösten in ihm alle Schauer des Mystischen aus. Die Spaziergänge, so nahe am edelsteinfunkelnden Wasser, formten in ihm die Bilder zu seinen Dichtungen. Das Alltäglichste wurde so geadelt und fügte sich wie von ungefähr und auf eine bezwingende Art in den zu immer steileren Höhen führenden Arbeitsweg. Ja, selbst das Bescheidenste, Unbeachtete noch gewann Gewicht. Von einer Reise nach Hessen brachte er eine Truhe mit, deren Spruchband ihm schöner dünkte als viele seiner Verse. „Blumen zu malen ist allgemein, Geruch geben kann Gott allein." Und so wie diese Truhe, die alter Schätze Last und Berührung erduldet, belebten sich unter seinem Blick alle Gegenstände, die er von seinen Fahrten mitbrachte: der Ring mit dem heiligen Ibis aus Ägypten, der Seidenschal aus Rußland, das Parfum aus der Türkei, ein Stehpult aus einer Mönchsklause, ein uraltes Heiligenbild oder eine rötlich-braune Vase, in der eine zerbrechliche Glasblume die Lichter des Tages einfing, bis sie mit der herabsinkenden Dämmerung erlosch.

Im Frühjahr 1901 heiratete Rilke die Bildhauerin Clara Westhoff und ließ sich mit ihr im nahen Westerwede in einem alten efeuumrankten Bauernhaus nieder, das von dunklen Moorgräben und von uralten windschiefen Obstbäumen umgeben war. Hier entstand die Monographie über „Worpswede", hier wurde ihm seine Tochter Ruth geboren. Im großen Flet standen die Skulpturen seiner Frau. Sie stellten die Brücke her zur bildenden Kunst, deren Dienst sich alle geweiht hatten, die in Rilkes Haus ein und ausgingen. Denn jeder, der mit reinen Sinnen und aufgeschlossenen Geistes kam, war willkommen.

Es wäre schwer zu sagen, wer von diesen Menschen seinem Herzen am nächsten stand; denn auch das Herz des Gerechtesten ist gegen eine Steigerung der Empfindungen und Neigungen nicht gefeit. Vielleicht war es Heinrich Vogeler, dem „die Bäume und der Bäume kleine Heimlichkeiten" zu Märchen und Träumen wurden. Wie dieser stille und feierliche Liebhaber alles Beseelten und Innigen den Frühling erlebte, den Maimorgen oder den Sommerabend, wie er Seide und Silber und Glas zu empfinden vermochte, vor allem das Silber, „dies sanfte wahrverwandte Metall und seine mädchenhafte Art", davon war Rilkes Gleichgesinntheit aufs tiefste berührt. Vogelers ernste und wachsende Wirklichkeit schien ihm das brüderliche Spiegelbild der eigenen Welt, und das Glaubensbekenntnis des einen war nur die Formel für den Weg des anderen.

„Die Bäume, die draußen in der Heide stehen, sind ihm fremd wie die Menschen, die draußen wohnen; aber seiner Bäume Kindheit hat er Tag für Tag überwacht und hat teilgenommen an ihnen wie an Brüdern. Darum liebt er die großen Winde dieses Landes, weil sie sich wie Hände an seine Bäume legen und das, was er geplant, bilden und biegen in den bewegten Nächten des Frühlings, wenn die Stämme, steigender Säfte voll, wie Fontänen stehen im Sturme. Und der weite Himmel ist ihm lieb, weil er seiner kleinen Blumen Licht und Regen ist und der Glanz auf den Blättern seiner Bäume und in den Fenstern des weißen Hauses, das mitten im Garten steht. Er ist der Gärtner dieses Gartens, wie man der Freund einer Frau ist, leise geht er auf seine Wünsche ein, die er selbst erweckt hat, und sie tragen ihn weiter, indem er sie erfüllt."

Ist nicht auch Rilke ein solcher Gärtner seines Gartens, wie man der Freund einer Frau ist? Geht nicht auch er so zart auf seines Gartens Wünsche ein, die er selbst erweckt hat? Und sitzen nicht auch auf seinen Wiesen, unter seinen Birken schlanke Mädchen, stille gekrönte Kinder, hinter denen der Liebe Lied erklingt, von einem Engel auf hoher Harfe gesungen? Oder eine Burg ruht in der Ferne und „alle Wege im Land gehen neugierig auf sie zu". Manchmal steht auch ein großer Wald auf und vor dem Walde zieht ein Ritter, ein Heiliger Georg oder ein Parzival. Aber keine Gralsburg erscheint, kein Drache bedrückt den gefahrtrutzigen Sinn. Heiß und hilflos wird es dem Ritter in seiner silbernen Rüstung. Aus des Waldes staunender Tiefe blickt ihn ein Mädchengesicht an. Oder sind es die bangen Augen des Waldes selbst, die sich neugierig und unruhig zugleich auftun vor dem Unbekannten? Vielleicht auch blendet der Blaumantel der Madonna, die in dieser heimlich-verwilderten Einsamkeit ihr Kind wiegt. Denn wer vermag es je zu sagen? Eilig und bunt gehen die Bilder an uns vorüber, und der Zauberstab, der sie hervorruft, wechselt; bald hält ihn der Maler, bald führt ihn der Dichter; vielleicht halten ihn auch beide in ihren behutsamen Händen. . . .

Verstehen wir nun, warum die Feder Heinrich Vogelers

— nachdem sie die Radierungen des „Melusinenmärchens"
und die „Verkündigung Mariä" niedergeschrieben hatte —
sich eines Tages in Rilkes Stimme verwandelte, um als
Hymnus auf das „Leben der Madonna" aus seinem Blute
zu brechen?

Aus des Malers Rosenhag trat sie hervor, die Hohe, Rein-
gewöhnte, und entfachte den Glanz des Firmamentes in ihres
Sängers Innern, auf daß ihm die hundert Hellen des Morgen-
sterns aufjubelnd entgegenflammten. Geburt und Tod, Heim-
suchung und Verkündigung, Flucht und Martyrium, alle
Seligkeiten und alle Wehen der Mutter und Mütter brachen
aus ihren heiligen Verborgenheiten und wurden Leib und
Blut und Mensch.

> „O was muß es die Engel gekostet haben,
> nicht aufzusingen plötzlich, wie man aufweint,
> da sie doch wußten: in dieser Nacht wird dem Knaben
> die Mutter geboren, dem Einen, der bald erscheint."

Von diesem dunkel aufklingenden Oh!, in das der Jubel
der Kreatur einstimmt, bis zu jenem unendlich tiefen Schmer-
zens-Ach!, das allen Jammer und alle Größe des Opfers in
sich schließt, welch eine Kraft der Darstellung aus aufstau-
nender Naivität und erkenntnisgeborenem Mitleid! Es ist, als
ob alle Madonnenbilder und alle Madonnenlieder nur um
dieses einen Gesanges willen ersonnen worden seien. Hier
sind die anonymen Hymnendichter unserer lieben Frauen,
hier ist Werner und Heym von Themar, Dürer und Stephan
Lochner noch einmal. Oder scheinen vor solcher Wortkraft
die Farben der alten Meister zu verblassen? Scheut sich irdi-
scher Werkstoff, — der Marmor Michelangelos oder das
Birnbaumholz, an dem des Herrn Opfertod sich vollzogen,
der Mutter Schmerz ganz wiederzugeben?

RAINER MARIA RILKE
1923

„Jetzt wird mein Elend voll und namenlos
erfüllt es mich. Ich starre wie des Steins
Inneres starrt.
Hart wie ich bin, weiß ich nur Eins:
Du wurdest groß —
... und wurdest groß,
um als zu großer Schmerz
ganz über meines Herzens Fassung
hinauszustehen.
Jetzt liegst du quer durch meinen Schoß,
jetzt kann ich dich nicht mehr
gebären."

Mit diesem lyrischen Lobgesang „Heinrich Vogeler Für alten und neuen Anlaß" gewidmet, schließt die Spannung, die das Erlebnis Worpswede in Rilke ausgelöst hat.

Mit einer ernsthaften und konsequenten Selbstüberwindung hatte sie begonnen, um mit einem klaren Bekenntnis zur Gegenwart zu enden. Der langsame Schmerz, der den Einsamkeitstrunkenen gleichsam wie an grünem Holze zu verbrennen drohte, hatte seine Kräfte geläutert und seine verborgenen Tiefen ans Licht gebracht. Mit ehrlichem Gewissen durfte er darum, wie der reife Goethe nach einem Wort Immermanns von sich sagen: „Ich bin zum Bewußtsein meines Künstlertums gekommen. Ich darf jetzt ganz sein, der ich bin."

Rilke hatte das Menschlich-Gemeinsame, die Innigkeit der menschlichen Zusammenhänge erfahren. Doch das geheime Gesetz seines Lebens, das ihn immer wieder aus Gemeinschaft in Einsamkeit riß, hieß ihn auch jetzt wiederum, über das Heute und Gestern hinaus wandern; denn „das Morgen ist mehr als Ewigkeit".

„Früher glaubte ich, das würde besser, wenn ich einmal ein Haus hätte, eine Frau und ein Kind, Wirkliches und Unleugbares; glaubte, daß ich sichtbarer würde damit, greifbarer, tatsächlicher. Aber sieh, Westerwede war, war wirklich; denn ich habe selbst das Haus gebaut und alles gemacht, was darin war. Aber es war eine Wirklichkeit außer mir; ich war nicht darin und ging nicht darin auf. Und daß ich jetzt, da das kleine Haus und seine stillen schönen Stuben nicht mehr sind, weiß, daß da noch ein Mensch ist, der zu mir gehört, und irgendwo ein kleines Kind, an dessen Leben nichts so nahe ist wie es und ich — das gibt mir wohl eine gewisse Sicherheit und die Erfahrung vieler einfacher und tiefer Dinge — aber es hilft mir nicht zu jenem Wirklichkeitsgefühl, zu dieser Ebenbürtigkeit, nach der ich so sehr verlange: Wirklicher unter Wirklichen zu sein"(1904).

Der Mensch, zu dem Rilke in Worpswede erwacht war, verlangte nach einem persönlichen Gegenstück, — nach einem wirklichen Leben um sich und neben sich, unter dessen Liebesblick sich die Kristallbildung seiner Seele vollziehen konnte, — nach einem Menschen, groß und zuverlässig wie die Natur.

Kein falscher Lichtstrahl durfte von diesem Menschen ausgehen und keine Gewalt. Er mußte rastlos und völlig entspannt zugleich sein; kritisch und doch von Anbeginn wundersam geheilt, — ein Geist, geladen mit Schaffensimpuls, — ein Blut, gedrängt voll Leben und Wille.

Ein solcher Mensch lebte. Aber genügte das Auge, ihn zu begreifen? Mußten nicht alle Sinne für ihn geöffnet sein?

Worpswede hatte Rainer Maria Rilkes Sinne geöffnet. Der Mensch durfte kommen.

*

AUGUSTE RODIN

»Unsäglich Schweres wird von mir verlangt.
Aber die Mächte, die mich so verpflichten,
sind auch bereit, mich langsam aufzurichten,
so oft mein Herz, behängt mit den Gewichten
der Demut, hoch in ihren Händen hängt.«
Rainer Maria Rilke, Meudon Januar 1906.

Auf der Anhöhe über dem Dorfe Val Fleury, unweit Meudon, steht ein Gartenhaus im Stile Ludwigs XIII., daneben ein Pavillon und dicht am Rande des Hanges ein Säulenportal mit Giebel und schmiedeeisernem Gitter.

Man ahnt, daß dieser Wohnsitz einem Künstler gehört; denn Architektur und Landschaft ergänzen sich zu so einfacher Gewalt, als seien sie von Anbeginn für einander bestimmt. Auch der Garten mit seiner braunen eigenwilligen Erde verrät kaum die Pflege, die die Hand des Menschen ihm angedeihen läßt. Von einer spärlichen Mauer halb umschlossen, schwingt er sich weit aus und bis in die Ebene hinab, durch die das Silberband der Seine zieht. Über seine Bäume grüßt von fernher der weiße Kirchturm von St. Cloud, dann tauchen die bläulichen Höhen von Suresnes auf, und ganz weit draußen am Horizont verschwimmt der Mont Valérien in einem zarten Nebel.

In dieser anmutigen Landschaft, deren Sonnentrunkenheit fast kein Erinnern an die Heidedämmerung Worpswedes erlaubt, weilt seit Monaten Rainer Maria Rilke als Gast des Bildhauers Auguste Rodin.

Unvermittelt war er eines Morgens aus dem Gehege der Moore und Birkenwälder aufgebrochen und gegen Westen gezogen, bis er Paris erreichte. Er wußte selbst kaum, warum er es tat. Es war einfach etwas in ihm, was ihn vorwärts trieb, dem Untergang der Sonne zu, ja gleichsam mit der Bahn der Sonne der kühlenden Nacht entgegen. Er hätte sich mit Händen und Füßen gegen diesen ungestümen Befehl sträuben können, er mußte ihm folgen. Denn er sah Dinge, wie der Mann der Offenbarung, Dinge, die marmorklar aus dem Dunkel herausleuchteten und über deren Leibern die wissende Gebärde eines Menschen stand.

Nur noch der Dichter der „Römischen Elegien" fand unter gleich günstigen Aspekten eine ebensolche Geist und Seele umschaffende Welt.

Denn alles, was Rilke bisher erfahren und durchlitten hatte, was in Rußland reine Religion geworden war in ihm und in Worpswede „reif wie Wein", erfuhr jetzt seine künstlerische Läuterung. Rodin wurde Rilkes Rom. Durch ihn empfing er wie Goethe durch die Ewige Stadt das Bürgerrecht in dieser Welt. Durch ihn fand der All-Verwandte, im Ewigen Behauste, seine irdische, leibhaft greifbare Heimat. Die Wirrnisse und die Zufälligkeiten seines Daseins fielen. Aus Ahnung ward Bewußtsein, aus dem Jakobsringen um die Kunst stieg groß und leuchtend der Segen der Erfüllung.

Ja, so festlich war diese Erfüllung und so vollkommen der Sieg, daß wir uns fragen müssen: Ist diese unbefleckte Empfängnis der Seele nicht ein Wunder, vor dem man immer wieder aufstaunen muß, am meisten vielleicht der Beglückte selbst? Liegt nicht in dieser Wandlung, die mit einem schlichten Händedruck, einem Gruß zweier Augen begann und mit einem Hymnus auf die Kunst endigte, ein Rätsel der Natur verborgen, das durch kein Gesetz je zu entwirren ist?

*

Nur ein Zauberer, scheint es, kann das erweckende Wort gesprochen haben, auf das ein solch dröhnendes Amen der Vollendung folgte. Darum muß, wer einen Hauch von dieser begnadeten Stunde verspüren will, zuerst die Gestalt dieses Zauberers beschwören, obwohl es nicht leicht ist, gerade für diesen Unerklärlichen, der den Namen Rodin trägt, die rechten Worte zu finden.

Rilke selbst hat in seinem Buch über ihn einleitend auf die Dinge hingewiesen, die ununterbrochen aus seinem Blute stiegen. Aber — dürfen denn auch wir mit den Dingen beginnen, wo wir doch mit ihnen aufhören müssen, mit den Dingen und mit Rilke, dem Dichter der Dinge? Etwas ganz Einfaches muß es sein, das uns nicht bedrückt und nicht verwirrt: ein Blick in die Kindheit vielleicht, die uns aus eigener Erinnerung vertraut ist.

Denken wir uns einen Knaben, der oft zu essen vergaß, weil es ihm wichtiger schien, mit einem schlechten Messer Dinge in geringes Holz zu schneiden oder sich am Tone zu versuchen, einen Jüngling, der Stunden und Tage im Louvre zubrachte, unter den Gestalten der Antike und im Anblick jenes Himmels, der rein aus dem Lichte des Marmors bricht, und geben wir diesen einfachen Ereignissen einen Namen, dann haben wir einen Blick in den Aufgang dieses Menschen getan, aus dessen Erregtheit heraus sich langsam und ohne Hast die Fülle des Seins zu wirkendem Werk erhob. Denn zu arbeiten wie die Natur es tut, war dieses Beginnenden erste Leidenschaft und nur mit ihr vermochte er seine Armut und seine Angst dem Gewordenen gegenüber zu überwinden und die Eindrücke der Welt in seinen Händen um und um zu wenden, bis sie aufrecht in seinem Innern standen.

Wohl umgaben ihn manche Verlockungen: Bilder und Scheine, die berühmte Namen zu Urhebern hatten und mit denen er rechnen mußte. Doch ihr Glanz beirrte ihn nicht. Seine Sprache konnte nur eine ganz einfache sein: der Körper des Menschen. Jener Körper, den man vergessen hatte, weil man Schicht um Schicht um ihn herumgelegt hatte, „wie ein immer erneuter Anstrich". Aber unter dem Schutze dieser Krusten war die wachsende Seele unverändert geblieben, während sie atemlos an den Gesichtern arbeitete. Der Körper war ein anderer geworden. Wenn man ihn jetzt aufdeckte, enthielt er tausend Ausdrücke für alles Namenlose und Neue, das inzwischen entstanden war, und für jene alten Geheimnisse, die aufgestiegen aus dem Unbewußten wie fremde Flußgötter ihre triefenden Gesichter aus dem Rauschen des Blutes heben ... Zwei Jahrtausende länger hatte das Leben ihn in den Händen behalten und hatte an ihm gearbeitet, gehorcht und gehämmert, Tag und Nacht. Die Malerei träumte von diesem Körper, sie schmückte ihn mit Licht und durchdrang ihn mit Dämmerung, sie umgab ihn mit aller Zärtlichkeit und mit allem Entzücken, sie befühlte ihn wie ein Blumenblatt und ließ sich tragen von ihm wie von einer Welle, — aber die Plastik, der er gehörte, kannte ihn noch nicht.

Hier war eine Aufgabe, groß wie die Welt.

Der Kunsthistoriker, dem es mehr um die Etikettierung als um die Deutung der Geheimnisse zu tun ist, würde uns jetzt vielleicht die Wurzel nennen, aus der auch diese einzigartige Frucht — das Werk Rodins — heranreifte. Er würde die Chiffre Antike aussprechen und damit jene Logik des menschlichen Körpers meinen, deren plastische Wiedergabe das Ziel eines Phidias oder Praxiteles gewesen ist. Dort würde er auch Rodins Ausgangspunkt suchen und etwa sagen: dieser Künstler, um den viele Namen der Gegenwart kreisen, weil er Schule machte, betrachtet den Körper nicht als leblosen Stoff, wie ihn der Anatom auf dem Seziertisch vor sich sieht, sondern als bewegten Organismus, der im Spiel des Lichts fortwährend Veränderungen erleidet, als ein ganz von Leben erfülltes, von Leben verzehrtes Instrument der Affekte.

Ähnlich wie die holländischen Meister, die es auf die tanzenden Wogenkämme des Meeres, die schimmrigen Schneeflächen des Winters und die dämmrigen Scheine des Zimmers abgesehen hatten, richtet auch er seinen Blick auf die wechselnde Bewegung, und zwar auf die unzähligen Biegungen, Wendungen und Kontraste, Straffungen und Überschneidungen, die uns der menschliche Körper darbietet. Doch bei dieser Arbeit, die ihn ganz gefangen nimmt, beobachtet er genau die strengen Grundsätze der Nüchternheit und weisen Beherrschung, die allein zum Erfolg führen. Er beginnt daher mit dem Keim, unter der Erde gleichsam: registriert die ersten Regungen des menschlichen Willens und wie sie auf den Muskeln und Flächen des Körpers sichtbar werden, studiert ihr Anwachsen und Abklingen, ihr Eingespanntsein in die stille Dauer des Raumes und ihre Veränderung bei den unendlichen Begegnungen mit Licht und Schatten, die allem Körperlichen in schweigsamer Ausdauer aus der umgebenden Atmosphäre zufließen, und siehe: jede dieser Bewegungen ist anders, unwiederholbar wie das Leben selbst, ist eine neue, unzweideutige Gebärde, die mit dem Impuls geboren aus der Tiefe der Seele kommt. Denn alles, was geschieht, geschieht in ihr: ob sie Johannes heißt oder Balzac, ob sie im Rhythmus eines Schrittes schwingt oder in den Linien eines Mundwinkels, ob sie der Blick eines Abschiednehmenden ist oder der Torso eines Frauenkörpers, der wie eine Amphore in seinem Schoße das Leben der Zukunft birgt.

Gebärde ist alles; denn Gebärde ist Lebensgefühl, ist Geistigkeit, ist Schicksal.

Mit dieser Entdeckung begann Rodins eigentliche Arbeit. Sie wurde das Grundprinzip seiner Kunst. Fortan gab es für ihn keine Stellungsprobleme, keine Kompositionsaufgaben, keine in Positur gestellten Modelle mehr. Er sah nur unzählige bewegte Flächen und um diese allein galt es mit Goldsuchergeduld zu werben, bis sie restlos aufgegangen waren in der Kristallformel des Marmors. Denn das Wissen um die Gebärden wird keinem als Geschenk der Götter in die Wiege gelegt. Wieviele entfalten sich und schließen sich wieder, ohne daß jemand es bemerkt, und doch sind vielleicht darunter die besten und seltensten, solche, „die am meisten Größe haben".

Hören wir, wie Rodin selbst seine Arbeit durch eine fast verwirrende Mannigfaltigkeit von Einzelheiten und in intensiver Hingabe an ihre Gegenstände zum Erfolg führt. Zuerst nimmt er an seinem Modell genau Maß; denn nur die richtige Abmessung der Flächen und Körpervolumen bewirkt eine absolute Natürlichkeit. Dann beschreibt er sein Modell in einer ganz einfachen kursivischen Zeichnung und legt in wenigen Strichen, die noch summarischer sind als die der Japaner, Umriß und Bewegung fest, um sich über die Harmonie der Linien, über die Haltung und den Sinn der Gebärden bis ins Letzte klar zu werden. Manchmal greift er auch zum Ton und formt in immer neuen Variationen einen Arm, einen gebogenen Körper, einen männlichen oder weiblichen Torso oder Hände, — Hände, die sich ungestüm krümmen, als wollten sie die Leere erfassen und uns geballt entgegenschleudern, — schreckliche Hände, die von wurmartigen

Rissen durchfurcht wie ein aufgebrachtes, aber lahmgewordenes Tier daherkriechen, — andere wiederum, die unter der Wucht des Schicksals in sich zusammenstürzen, oder die Hände eines Spielers, krebsartige Scheeren, die gierig nach den Schatten des Verhängnisses greifen, und daneben — die Hand Victor Hugos, die befehlend das Reich der Ideen lenkt mit der Geste eines Grandseigneurs.

Niemals aber, und das ist das Wichtigste an dieser Arbeitsmethode, hält Rodin sein Modell in der Unbeweglichkeit fest. Er stellt es niemals in jene ermüdende, dem Laien aus tausend Bildern so vertraute Atelierpositur, in der die Muskeln erschlaffen, die innere Bewegung müde wird und etwas Gezwungenes annimmt. Seine Modelle müssen sich im Gegenteil frei bewegen, springen oder tanzen, einen Krug auf den Schultern tragen oder Blumen binden, weil nur dann, wenn das Leben aus dem Herzen über die Flächen des Körpers rauscht wie eine große und unwiederholbare Flut, eine intuitive Erfassung der ihm innewohnenden geistig-seelischen Kraft möglich ist.

Rodin liebt daher auch mit einer geradezu schwärmerischen Lust das unendlich bewegte, wild schäumende Meer, dessen Wogen unter seinem Blick sich in Ungeheuer, in Pferde und riesige Giganten verwandeln, die einen ewigen Kampf gegen das Werk der Menschen führen. Aus einer solchen Augenblickseingebung heraus schuf er einmal am Ufer des Ligurischen Meeres jene duftigen Impressionen, die er „Néreide dans la mer" und „Lune psychée" benannte. Eine Nixe liegt wie eine rosaweiße Muschel unter dem zarten Blau des Wassers, das ihre schlanken Glieder wie ein Schleier verhüllt. Man hört das Seufzen ihrer Stimme, die Klage einer ewig Gefangenen, man hört den Gesang der Wellen, die seit Urzeiten dahinrollen, zu dämonischer Ruhelosigkeit verdammt.

Auch in Stunden der Entspannung greift der Meister immer und immer wieder nach seinen Studienblättern, als seien es fremde Erzeugnisse eines Schülers, die er als Lehrer zu beurteilen hat. Er arbeitet dann aus der Erinnerung daran weiter, und wenn er einen Fehler entdeckt, wirft er auf eine Gipsplatte eine „Randbemerkung" hin, die er berücksichtigt, sobald er seine Arbeit von neuem beginnt.

Durch solche plötzlichen Eingebungen, die unmittelbar der Beobachtung entnommen sind, durch dieses nahezu raffiniert ausgeklügelte System von Notizen und Entwürfen, durch dieses hartnäckige Suchen nach einer gefüllten und restlos erfüllten Form gelangt Rodin von der schlichten Augenblicksskizze zum Meisterwerk, von der räumlich und motivisch begrenzten Studie zur endgültigen Gestaltung einer erschütternden Welt.

Da ist der „Mann mit der zerbrochenen Nase", ein Kopf mit einer Fülle von Leben in den alternden Zügen und so voller Scharten und Risse, als habe ihn eine unerbittliche Hand hineingehalten in das Schicksal „wie in die Wirbel eines nagenden, waschenden Wassers". Da erhebt sich der Baum eines Menschen aus den Adern der Erde, der Baum eines ehernen Menschen, in dessen Stamm, langsam steigend, die Fülle der Säfte schlägt, von den Winden des Frühlings getrieben. Oder Johannes der Täufer schreitet einher, mit Armen, die reden, mit Augen, die brennen, und mit der Geste dessen, „der einen anderen hinter sich kommen fühlt". Und wie die Fernen, so werfen auch die Tage der Gegenwart ihr loderndes Leben in Sandstein und Bronze, in Marmor und braunen Ton, daß die Stoffe sich aufbäumen und zu drohenden Leibern, zu Gebärden und Menschen gerinnen. Da ist Dalous Antlitz, müde, vibrierend, nervös, daneben aufreizend wie ein Alarmsignal Henri Rocheforts verbeulte

Stirn, da sind Victor Hugo, Puvis de Chavannes und Jean-Paul Laurens: Gesichter mit langen Ahnenreihen, in deren wissenden Zügen „ein neues Leben wartend steht", und jene anderen Gesichter, denen die Haut, von Arbeit und Sturm breitgeschlagen, wie ein lange getragener Handschuh um die Kanten des Schädels hängt, und endlich — ein riesiger Abschluß — Balzac, der Mensch an sich, der Mensch, dessen Gebärde „über die ganze Welt gewachsen ist von Aufgang nach Untergang".

*

Es ist etwas Wunderbares um diese Kunst. So klar und fest ihre Formen auch sind, ein gewaltiges Leben durchglüht sie, rauchschwarz aufglänzend im Feuer des Metalls. Hinter einem Netzwerk exakt gefügter Linien und Flächen zündet es auf, eins mit der Wirklichkeit, aber epigrammatisch gekürzt und ungeheuerlich gesteigert in seinen gleichnishaften Sinn. So wirkt sein Triumph bezaubernd in seiner geläuterten Kraft und doch verwirrend auch in seiner unerbittlichen Maskenlosigkeit, besonders auf den, der plötzlich mitten hineingestellt wird in diese gebärdenträchtige Welt. Man fühlt sich wie ein Fremder vor ihr, betrachtet sie ängstlich zuerst und befangen, wie ein Kind Ereignisse betrachtet, die ihm noch nie begegnet sind und die von fernher zu kommen scheinen. Doch je länger man unter diesen Gestalten weilt, desto berückender wirkt die Gewalt, die von ihnen ausgeht, und man glaubt, nicht unter Menschen zu weilen, sondern unter Runensteinen und Jahrtausende alten Amuletten. Und eines Tages zwingen sie uns ganz in sich hinein.

So und nicht anders mag es Rainer Maria Rilke ergangen sein, als er zum ersten Male das Atelier Auguste Rodins betrat. Er, der an kein Gesetz und an keine ewig gültige Form, sondern nur an eine unendliche Bewegung glauben wollte, erfuhr nun das Leben selbst, bis in seine letzte Regung gebändigt und von einer unerhörten sachlichen Prägnanz durchsetzt, — und was noch wichtiger für ihn war, er gewann den Meister, dessen „gewaltige Sicherheit eben dieses Leben also umgebildet hatte in tausendmal gesteigerte Wirklichkeit", zum Freund und zum Lehrer.

Wohl war Rilke schon anderen, nicht weniger bedeutenden Menschen begegnet. Er war der Freund des belgischen Dichters Verhaeren geworden, hatte Tolstoi besucht und den dänischen Dichter Hermann Bang. Sie hatten ihn alle, jeder auf seine Art, menschlich beeindruckt, geistig oder künstlerisch angeregt. Das Zusammentreffen mit Rodin spielte sich jedoch auf einer anderen Ebene ab: es bestimmte in einer entscheidenden und nicht mehr korrigierbaren Weise seine künftige Entwicklung. Denn gerade dieser „stille, in unendlicher Tiefe vor sich gehende Geist" machte Rilkes gestaltlos träumendes Naturell mit Werten bekannt, die wohl in der Richtung seines Lebens lagen, die aber erst durch die Kraft einer solchen Wünschelrute zur Entfaltung gebracht werden konnten.

„Als ich zuerst zu Rodin kam und draußen in Meudon bei ihm frühstückte, mit Fremden an einem Tische, da wußte ich, daß selbst sein Haus nichts für ihn war, eine kleine, armselige Notdurft vielleicht, ein Dach für Regen- und Schlafzeit; und daß es keine Sorge war für ihn und an seiner Einsamkeit und Sammlung kein Gewicht. Tief in sich trug er seines Hauses Dunkel, Zuflucht und Ruhe, und darüber war er selbst Himmel geworden und Wald herum und Weite und großer Strom, der immer vorüberfloß."

Rilke selbst dankte seinem „Grand ami", in der Erkenntnis dessen, was er durch ihn gewonnen, voll tiefer Verehrung: in seiner „Neuen Gedichte anderer Teil" bezeichnete er Rodin als denjenigen, der „ihn alles gelehrt habe, was er vorher noch nicht wußte, und alles, was er wußte, geöffnet habe, durch seine sichere durch nichts erschütterte Einsamkeit, durch sein großes Versammeltsein um sich selbst und durch sein wachsendes Altern, in dem alle Dinge zusammengeschlossen sind". Ja, der Dichter wurde darüber hinaus durch seine bereits in dem Buch über Worpswede bekundete Einfühlungsgabe der erste Herold Rodinscher Kunst, ähnlich wie seinerzeit Baudelaire der erste Kenner und Verkünder Delacroixs und Courbets geworden war. Indem er in einer Monographie das Kunstwerk mit der ganzen Virtuosität seiner intuitiven Beredsamkeit aus dem Dunkel des Seelenraumes in die Helle des Erforschbaren erhob, gab er uns zugleich Einblick in die Lehren und Wirkungen, die er selbst durch den Meister erfahren hatte.

Rodin war im Grunde seines Wesens Pessimist, aber ein Pessimist von jener vornehmen heroischen Haltung, wie sie nicht ohne Schauder Michelet an Schopenhauer und Nietzsche feststellt. Ein schmerzlich-kühler Zug, aus verwegener Männlichkeit geboren und getragen von einem zähen Willen zu gefährlichen Entdeckungen, spricht unverkennbar aus fast allen seinen Werken, der Gebärde jenes Denkers vergleichbar, dessen Schädel die ganze Größe und alle Schrecken des menschlichen Schauspiels erkennt, weil er es denkt. Es überrascht uns daher keineswegs, daß diese skeptisch-kühne Geisteshaltung auch auf Rilkes empfängliches Gemüt abfärbte. Der Künstler gab zweifellos dem Dichter recht eigentlich erst das gute Gewissen, weiterhin so schmerzlich-wissend, so abwegig-einsiedlerisch zu sein. Ob wir Rilkes Briefe lesen oder in seinem Roman „Malte Laurids Brigge" blättern, immer spüren wir hinter den Worten eine aristokratische, einzig auf sich gestellte Sehnsucht, die wie ein eingefangener Funke des Alls dieses endliche Gefäß im Zwiespalt zwischen Zeit und Ewigkeit zu zerreißen droht.

Diesem weltschmerzlichen Zug nahm andererseits die von Rodin ausstrahlende Aktivität die Tragik des Verzichts. Der Künstler, der in den Menschen ihr ewige Wesen erschaute, überzeugte den problematisch Ringenden, zwischen Sehnsucht und Gestalt Schwankenden, daß selbst die tiefste Erkenntnis des Weltwirrwesens noch lange nicht eine Verurteilung der Zeit um einer größeren Vergangenheit oder Zukunft willen zu sein braucht, sondern sehr wohl die Bejahung der Gegenwart in sich schließen kann. Indem Rilke beobachtete, wie der Meister sich selbst verleugnete und, hingegeben an die Dinge, sie in ihren gewohnheitsmäßigen und zufälligen Bewegungen belauschte, bis er ihr eigenstes, geheimstes Wesen in die Gebärde eines Augenblicks gebannt hatte, reifte — unter der erweckenden Gewalt dieses Beispiels — die religiöse Erfahrung, die ihm im Osten zuteil geworden war, zur künstlerischen Tat.

Und dies war es, was Rilke instinktiv auf allen seinen Wanderungen gesucht hatte, weil nur dies ihn vollenden konnte. Gerade weil er so klangverzückt, so rauschvoll unerlöst, so nordisch musikfroh war, mußte er rechtzeitig zur bildenden Kunst in eine erkenntnishaft-produktive Verbindung treten, und zwar zu jener künstlerischen Methode, deren Ziel nicht die Figur, sondern die vollendete Gestalt ist.

Lange genug hatte ihn die süße, die sanfte Melodie der Dinge betört. Sie hatte ihm den Blick verdunkelt und ihn verhindert, sich ganz der Harmonie hinzugeben, die allein den glückhaften Einklang von übersinnlicher und sinnlicher

Photo Louis Silvestre, Paris.

PAUL VALÉRY

Welt — in reichen Akkorden heraufzuführen vermag. Jetzt aber war der Augenblick gekommen, wo Rilke auch die Macht der Harmonie erproben durfte, indem er in die eigene Dichtung umsetzte, was der Bildhauer ihm aus dem Schatz seines Könnens an künstlerischen Erfahrungen an die Hand gab.

In Rodins Schule lernte er fortan die Zucht scharfsinniger und gewissenhafter Arbeit, die aus exakter Beobachtung heraus in einer unermüdlichen Skizziertätigkeit der letzten und endgültigen Erfassung des Modells entgegenreift. Er lernte die Festtagsstimmung, die in solchem Schöpfertum beschlossen liegt, er lernte aber auch die Qual, die nun einmal mit jeder hellsichtigen Forschertätigkeit untrennbar verbunden ist, kennen. An sich selbst mußte er, ohnehin schon zur Genüge durch Leid geprüft, die Größe jenes Balzac-Schmerzes erfahren, „daß alles Gestalten, Schaffen, Hervorbringen Schmerz ist, Kampf und beißende Qual, man weiß es vielleicht.... Daß aber auch die Erkenntnis, jene künstlerische Erkenntnis, die man gemeinhin als Beobachtung bezeichnet, wehe tut ... weiß man auch das? Die Beobachtung als Leidenschaft, als Passion, Martyrium, Heldentum — wer kennt sie?"

Rodin kennt sie, den wie kein anderer seiner Zeit hat er sie an sich selbst erlebt, und Rilke kennt sie, wenigstens von dem Augenblick an, in dem ihn das Beispiel seines Lehrers zu gleichem Bemühen in der Gestaltung dichterischer Motive veranlaßt.

Mit geradezu fanatischem Eifer und wie befeuert von der Vielseitigkeit seiner Aufgabe wirft er sich mit jedem neuen Tage ungestümer ins Lernen. Ein zweiter Philipp Otto Runge steht er lange vor der Sonne auf und geht zitternd vor Erwartung hinaus in den werdenden Tag, um jede Szene dieses nie so wieder kommenden Lichtes zu sehen und nichts von der Handlung zu versäumen, die da beginnt. Und selbst an nebelfrischen Abenden, wenn die Schatten sich schwer und schwerer über die Dinge legen, konnte man ihn noch sehen, wie er durch die Luxembourg-Allee ‚schwebte‘ oder im Jardin des Plantes vor dem Gitter des Panthers stand, fasziniert von dem lebendigen Stück Welt, das ihm in dem geschmeidigen Körper dieser gefesselten Urkraft entgegentrat.

> „Sein Blick ist vom Vorübergehen der Stäbe
> so müd geworden, daß er nicht mehr hält.
> Ihm ist als ob es tausend Stäbe gäbe
> und hinter tausend Stäben keine Welt.
>
> Der weiche Gang geschmeidig starker Schritte,
> der sich im allerkleinsten Kreise dreht,
> ist wie ein Tanz voll Kraft um eine Mitte,
> in der betäubt ein großer Wille steht.
>
> Nur manchmal schiebt der Vorhang der Pupille
> sich lautlos auf. Dann geht ein Bild hinein,
> geht durch der Glieder angespannte Stille
> und hört im Herzen auf zu sein.“

Und wieder könnte man unter dem Eindruck dieses Bildes an Balzac erinnern und für Rilke in Anspruch nehmen, was dieser Riese an Vitalität von der Intuition der Beobachtung sagt: „Ohne den Körper zu vernachlässigen, durchdringt sie die Seele, oder vielmehr, sie faßt so sehr die äußeren Details an, daß sie über sie hinausreicht.“

Aber genügt eine solche hellseherische Befähigung, um Gedichte von der Reife des „Panthers“ hervorzubringen? Genügt es die Mauer zu durchschauen, die zwischen uns und den Dingen liegt? Muß nicht noch etwas hinzukommen, damit das Niegeschaute und nun auf einmal Offenbare in seine vorbestimmte, augen- und seelenhaft faßbare Form eingehen kann?

Rilke sagt einmal: „Ach, mit Versen ist so wenig getan, wenn man sie früh aufschreibt. Man sollte warten damit und Sinn und Süßigkeit sammeln ein ganzes Leben lang, und ein langes womöglich, und dann ganz zum Schluß, vielleicht könnte man dann zehn Zeilen schreiben, die gut sind. Denn Verse sind nicht, wie die Leute meinen, Gefühle (die hat man früh genug), es sind Erfahrungen. Um eines Verses willen muß man viele Städte gesehen, Menschen und Dinge, man muß die Tiere kennen, man muß fühlen, wie die Vögel fliegen, und die Gebärden wissen, mit welcher die kleinen Blumen sich auftun am Morgen. Man muß zurückdenken können an Wege in unbekannten Gegenden, an unerwartete Begegnungen und Abschiede, die man lange kommen sah, — an Kindheitstage, die noch unaufgeklärt sind, an die Eltern, die man kränken mußte, wenn sie einem eine Freude brachten, und man begriff sie nicht (es war eine Freude für einen anderen) — an Kinderkrankheiten, die so seltsam anheben mit so vielen tiefen und schweren Verwandlungen, an Tage in stillen, verhaltenen Stuben und an Morgen am Meer, an das Meer überhaupt, an Meere, an Reisenächte, die hoch dahinrauschen und mit allen Sternen flogen, — und es ist noch nicht genug, wenn man an alles das denken darf. Man muß Erinnerungen haben an viele Liebesnächte, von denen keine der andern glich, an Schreie von Kreisenden und an leichte, weiße, schlafende Wöchnerinnen, die sich schließen. Aber auch bei Sterbenden muß man gewesen sein, muß bei Toten gesessen haben in der Stube mit dem offenen Fenster und den stoßweißen Geräuschen. Und es genügt auch noch nicht, daß man Erinnerungen hat. Man muß sie vergessen können, wenn es viele sind, und man muß die große Geduld haben zu warten, daß sie wiederkommen. Denn die Erinnerungen selbst sind es noch nicht. Erst wenn sie Blut in uns werden, Blick und Gebärde, namenlos und nicht mehr zu unterscheiden von uns selbst, erst dann kann es geschehen, daß in einer sehr seltenen Stunde das erste Wort eines Verses aufsteht in ihrer Mitte und aus ihnen ausgeht."

Diese Sätze stehen in den „Aufzeichnungen des Malte Laurids Brigge", jenem in Paris entstandenen Roman, aus dem uns Rilkes Menschlichkeit am deutlichsten erschlossen wird. Schon bei der Betrachtung des „Stundenbuchs" mußten wir auf dieses selbstbiographische Werk vorgreifen, um des Dichters Liebe zu den Armen jedem Mißverständnis zu entrücken. Und eben diese Liebe zu den Armen ist es auch, die Rilke jetzt befähigt, allen jenen Ereignissen des natürlichen und künstlerischen Lebens nahezutreten, die ihm durch Rodin bedeutsam geworden sind.

Dafür zeugt der bekenntnishafte Charakter der „Aufzeichnungen". Denn noch einmal ist, wie in Goethes Faust, der Lebensweg Rilkes aus furchtbarster Einsamkeit der Seele durch alle Dämonien der Welt in diesem Buch aufgezeichnet oder, wie in einer Geburtstagsgabe an den Dichter bemerkt wird, „das Schicksal des letzten Sohnes, den nun auch die Dichterschaft beugt, des über sich hinaus Leidenden, des sich um das Ungemeine des Mitleids Mühenden".

Es ist ein Werk, das wie selten eines den Menschen ergreift, der sich ihm mit offenem Herzen nähert, und es ist kein Wunder, daß gerade um seine Entstehung Legenden gehen und Worte um seinen Wert ringen, wie sie nur einer großen Schöpfung würdig sind. Und doch, glauben wir, haben nur wenige begriffen, daß diese „Aufzeichnungen" mehr sind als eine Lebengeschichte in autobiographischer

Form, mehr als ein geistreiches Buch, das unsere Stunden auf eine Weile gefangen nimmt und unsere Regungen in einen sanften Strom der Erlösung einfängt, der noch lange nachzittert.

Was aus diesem Tagebuch eines Letzten aus altem dänischem Adelsgeschlecht fordernd und vernehmlich zu uns spricht, ist die Sprache eines neuen Menschen, der Wille eines Vermächtnisses aus der Wende der Zeiten, da der Dichter auf dem Wege zu Gott sich befand: aus der Sorglosigkeit in das Leid der Armut eingehend und aus der Angst des Ausgeliefertseins an alle Fragwüdigkeiten auferstehend zur Vereinigung mit seinem Gott.

Indem Rilke die Gesamtheit seines Daseins noch einmal, gleichsam abschiednehmend, in einem klaren Gleichnis vor sich hinstellte und sie so als ein Neugeformtes in die Summe der Ewigkeit einreihte, löste er sich selbst aus der verwirrenden Fülle des Lebens endgültig los, „erriet sich mühsam zurück wie aus Überlieferungen, beschwor sich wie einen Geist und hielt sich aus".

„Wer beschreibt, was ihm damals geschah? Welcher Dichter hat die Überredung, seiner damaligen Tage Länge zu vertragen mit der Kürze des Lebens? ... In diesen Jahren gingen in ihm die großen Veränderungen vor. Er vergaß Gott beinahe über der harten Arbeit, sich ihm zu nähern."

Es war Rainer Maria Rilkes Wertherkrankheit, daß er nicht nur einmal, sondern fast in jedem Augenblick seines Werdens seine hingabebereite Innerlichkeit vor dem Überfließen bewahren mußte, und gerade hier, in Paris, ward ihm noch einmal die ganze Schwere der Welt zugemutet mit all ihren Qualen und Verschwendungen und den bedrückenden Existenzen ihrer Laster und Krankheiten, so daß er über die Rezeptivität der naturalistischen Dichtung hinausgreifend geradezu ein Märtyrer der Beobachtung wurde. Selbst ein Verkannter, sogar willentlich Verkannter und bei aller inneren Geborgenheit äußerlich Notleidender, drang er — wie von magischen Kräften gelenkt — immer tiefer in das Geheimnis der leidenden Menschheit ein. Denn wenn er sich jetzt auch aus dankbarer Erinnerung an Jakobsen Malte Laurids Briggs nennt, so ist es doch immer Rilke selbst, in den das Leben aller Nachbarn, und sei es das der geschlagensten Kreatur, eingeht, um schließlich sein eigenes zu werden.

Ein einziger Blick genügt, und er erlebt das Martyrium eines halb zerfallenen Hauses, indem er dessen Ausdünstung mit entsetzlicher Genauigkeit bis in alle Einzelheiten der Fäulnis hinein analysiert. Er sieht die Stockwerke und den Gang der Abortrohre, sieht die vom Licht gebleichten Tapeten, die Umrisse der Bilder und Schränke, spürt die Krankheiten, den Angstschweiß der Kinder und die Schwüle aus den Betten mannbarer Knaben.

„Man wird sagen, ich hätte lange davor gestanden; aber ich will einen Eid geben dafür, daß ich zu laufen begann, sobald ich die Mauer erkannt hatte; denn das ist das Schrecklichste, daß ich sie erkannt habe . . ."

„Hätte ich die Ängste, die ich so erlebte, machen können, hätte ich die Dinge bilden können aus ihnen, wirkliche stille Dinge, die zu schaffen Heiterkeit und Freiheit ist und von denen, wenn sie sind, Beruhigung ausgeht, so wäre mir nichts geschehen. Aber diese Ängste, die mir aus jedem Tag zufielen, rührten hundert andere Ängste an, und sie standen in mir auf wider mich und vertrugen sich, und ich kann nicht über sie hinaus. Im Bestreben, sie zu formen, wurde ich schöpferisch an ihnen selbst; statt sie zu Dingen meines Willens zu machen, gab ich ihnen nur ein eigenes Leben, das sie wider mich kehrten und mit dem sie mich verfolgten weit in die Nacht hinein. Hätte ich es besser gehabt, stiller und freundlicher, hätte meine Stube zu mir gehalten und wäre ich gesund geblieben, vielleicht hätte ich es doch gekonnt: Dinge machen aus Angst."

*

Und doch behauptet der Dichter, der selbst solch unerhörten Überfällen des Lebens noch formklare Gestalten seiner Kunst abrang, daß er lange nicht das Wirkliche der Welt, das Wirkliche des Menschen, das Ding an sich — zu erkennen vermöge. Denn zuerst müsse er sehen lernen. „Ist es möglich, daß man noch nichts Wirkliches gesehen, erkannt, gesagt hat?" fragt er erschüttert und beginnt gleichsam als Antwort darauf von neuem sein Ich in den Dingen zu lösen und die Dinge an seinem hellen und mitleidenden Bewußtsein zu klären.

Also betrachtet, erscheint der „Malte Laurids Brigge" wie das erläuternde Gegenstück zu den „Neuen Gedichten". Denn diese sowie der „Neuen Gedichte anderer Teil" sind nichts anderes als die Anwendung der „Aufzeichnungen" auf der Ebene der Kunst, und als solche das Ergebnis jener langen und schweigsamen Bemühungen, die Rodins Vorbild in ihm ausgelöst hat. Ja, sie sind Rodins Welt selbst: Bildhauerwerke in Worten, Statuen, Reliefs, Zierate und Geräte, mit eherner Kraft der Wirklichkeit entrissen und eingeglüht in die Stoffe der Sprache, und zwar in einem Fürsichsein, in einer solchen Erfülltheit mit vielfältigem Dasein, daß ein Darüberhinaus unmöglich erscheint. Träger von Vernunft scheinen sie gleichwohl durch die Vernunft allein nicht gemacht, sondern durch die einheitliche Schöpferkraft selbst, die in ihrer ganzen Härte eingeht in die Bewegtheit organischen Lebens. Demgemäß ist auch jedes einzelne Lautgebilde, jeder Formkomplex Absicht und Instinkt zugleich, das heißt nicht vom Gefühl ergriffen, sondern vom Gefühl erschaffen, als sei erst jetzt Goethes Mahnung „Bilde, Künstler, rede nicht!" in ihrer ganzen Schwere begriffen.

Wohl weiß Rilke „um die Vergängnis auch des gebanntesten Werkes". Die reine Tat aber überwindet diese Skepsis, so seelisch schmerzlich auch immer eine solche Überwindung sein mag.

> „Nur wer mit Toten vom Mohn
> aß, von dem ihren,
> wird nicht den leisesten Ton
> wieder verlieren."

Diese Worte sind bleich und bedrücken unsere menschliche Sehnsucht. Künden sie doch irgendwie von dem dunkel qualvollen Bemühen, das um diese Entdeckung ist, das sie trägt und wiegt und sie nur um eines solchen Blutopfers willen so groß erstehen läßt. Denn noch nie war ein solches Wissen um die Unpersönlichkeit und Zufallslosigkeit der Dinge.

Nicht daß sie außerhalb unser leben, bedurfte der dichterischen Aussage. Wie die Dinge zusammenhängen mit der schöpferischen Kraft, die sie hervorgebracht hat, wie sie ohne Wunsch und Begierde einfach da sind in ihrer köstlichen Naivität . . . „Tiere, die den Atem anhalten vor Scham", unaufdringliche Wesen, die nur das Ihre tun, das ist es, was uns an dieser künstlerischen Hegemonie der Dinge so suggestiv und beglückend ergreift. Mit einem Male ist eine Stimme im Stein. Mit einem Male öffnet die Rose ihre Lider und wir schauen in ihren Grund, mit einem Male wächst ein Blatt in unsere Hand, ein Geäder von Blutkanälen, ein reifes und köstliches Ornament.

„Ich muß mich nur erinnern an das Alles,
was an Fontänen und an mir geschah,
dann fühl' ich auch die Last des Niederfalles,
in welcher ich die Wasser wiedersah,
und weiß von Zweigen, die sich abwärts wandten,
von Stimmen, die mit kleiner Flamme brannten,
von Teichen, welche nur die Uferkanten
schwachsinnig und verschoben wiederholten,
von Abendhimmeln, welche von verkohlten
westlichen Wäldern ganz entfremdet traten,
sich anders wölbten, dunkelten und taten,
als wär' das nicht die Welt, die sie gemeint . . . ."

Man erinnere sich von dieser Ebene aus, um wenigstens
halbwegs ihre Einzigkeit zu begreifen, welcher Wertschät-
zung sich in früheren Jahrhunderten die Dinge erfreuten. Die
Gotik würdigte sie einzig als den Abglanz eines Himmels,
in dem ringsum strahlend und vernehmlich fordernd eine
göttliche Macht waltete. Erst die Bürgerlichkeit der itali-
enischen Renaissance bahnte mehr besitzfreudig als aus tie-
ferem seelischen Bedürfnis eine Art „conversazione" zwischen
Ding und Mensch an, eine Art intellektuellen Vertrauens,
das sich der Betrachtung des gegenständlichen Objekts, seiner inneren und äußeren Beschaffenheit, etwa so hingab,
wie ein Goldschmied sich an der Erfindung von Zieraten er-
freut, die ihm aus den Formen der Natur zufließen. Doch
diese neue Welt der Verdinglichung des Daseins, die an
die „nature de choses" glaubte, war teils wißbegierig, teils
zu selbstbewußt und pietätlos, um in den Dingen mehr zu
sehen als einen Schmuck ihres Daseins. Daher ging auch
die Lyrik dieser Epoche stolz an den feinsten Heimlichkeiten
und an den unerhörten Wundern vorüber, die Gottes Erde
in so überreichem Maße aufweist. Sie begnügte sich damit,

aus den Versatzstücken der Liebes- und Landschaftsromantik
ein poetisches Repertoire zu schaffen, aus dem jahrhunderte-
lang die Dichter ihre Stoffe und Motive bezogen.

Erst der Dichter der Stille, der in Worpswede einsam
unter den Dingen geweilt, um noch die sachteste Linien-
schönheit dem Dunkel ihrer Bescheidenheit zu entwinden —
erst der Freund Rodins, der in den Dingen Gleichnisse seines
Lebens entdeckte, verlieh jedem Ding dieser Erde gleiches
Recht vor der Kunst, als sei er nicht nur sein Liebhaber,
sondern sein nochmaliger Schöpfer. Durch diese Tat ent-
thronte er gewissermaßen das Dogma von der Trivialität
des Gestandes und setzte an seine Stelle die Demokratie.
Ob eine Papierblume in Frage steht oder eine verwaschene
Kinderschürze, ob ein Karrenweg oder eine Drehorgel im
Hofe einer Mietskaserne, „Auswahl und Ablehnung gibt
es nicht."

> „Warte, langsam, droh ich jedem Ringe
> und vertröste jedes Kettenglied:
> später, draußen, kommt das, was geschieht.
> Dinge, sag ich, Dinge, Dinge.
> Wenn ich schmiede: vor dem Schmied
> hat noch keines irgendwas zu sein,
> oder ein Geschick auf sich zu laden.
> Hier sind alle gleich, von Gottes Gnaden:
> ich, das Gold, das Feuer und der Stein."

Damit öffnet sich der Kreis der sagbaren Dinge weit ins
Unendliche. Es gibt keine Bannlinien, keine Rangordnung
mehr. Alles, was den wachen Stunden des Willens begegnet, wird eingereiht in die Form der Kunst und es gibt keine
Ruhe mehr, bis auch über dem winzigsten Sonderfall die
letzte Klarheit ausgegossen liegt, deren menschliche Ge-
wissenhaftigkeit überhaupt fähig ist.

Diese stolze Freude an der Entdeckung der noch nicht enthüllten Dinge führt geradezu zu kühnen Forschungsfahrten. Denn „was ist denn entdeckt? Ist nicht alles um uns fast wie nie gesagt, das meiste sogar nie gesehen? Sind wir nicht der Erste jedem Ding gegenüber, das wir wirklich (wirklich will andeuten einmal ohne Hast, dann ohne Vorurteil) schauen, und ist nicht jedes Ding wert, irgendwie angesprochen zu werden, wenn wir es auf diese Art zuerst entdecken? . . . So ist die Lyrik die seligste aller Künste. Innerhalb eines Gedichts kann ein wachsendes Gefühl leicht ansteigend, durch viele Dinge gehen: durch Landschaften, durch Wolken, durch ein Glas mit Rosen, durch ein Zimmer mit schweigenden Menschen, durch ein Klavier, an dem ein fremdes Mädchen sitzt, durch einen Dolch, der auf dunkelgrünem Samt leise leuchtet von Zeit zu Zeit, durch ein Meer, an welchem jemand weint, durch eine Kindheit, durch eine Allee im Spätherbst, an einem Brunnen vorbei, in einen wilden, wirren, welken Garten . . . durch alles das und noch unsagbar vieles kann ein Gefühl in e i n e m Gedicht wie durch Bilder steigen . . ." (aus einem Briefe Rilkes an E. F.).

Alle Stoffe, alle Begebenheiten unserer Erde werden so für den Lyriker Ausdrücke, Symbole für sein wanderndes und wachsendes Gefühl. Da steigen Städte auf voll kühner einheitlicher Metaphorik, als seien sie wie ein Ganzes von hohem Berge aus überschaut: Venedig mit seiner golden-dunkelnden Luft, welche ihre Tizianische Stunde hat, und jenes andere nordische Venedig mit seinen verlassenen Gassen, seinen stillen gebogenen Brücken, die über die Spiegelbilder schlafender Dinge zu anderen verlassenen Gassen führen. Selbst die unfaßbare Nacht erhebt ihr kühles Antlitz und wird groß und nah in all ihren Verschwiegenheiten.

„Oft anstaunt ich dich, stand an gestern begonnenem Fenster,
stand und staunte dich an. Doch war mir die neue Stadt
wie verwehrt und die unüberredete Landschaft
finsterte hin als wäre ich nicht.
Nicht gaben die nächsten Dinge sich Müh' mir verständlich zu sein.
An der Laterne drängte die Gasse herauf. Ich sah, daß sie fremd war.
Drüben ein Zimmer, mitfühlbar, geklärt in der Lampe.
Schon nahm ich teil; sie empfanden's, schlossen die Läden.
Stand. Und dann weinte ein Kind. Ich wußte die Mütter
rings in den Häusern, und was sie vermögen und wußte
alles Weinens zugleich die untröstlichen Gründe.
Oder es sang eine Stimme und reichte ein Stück weit
aus der Erwartung heraus oder es hustete unten
voller Vorwurf ein Alter, als ob sein Körper im Recht sei
wider die mildere Welt. Dann schlug eine Stunde.
Aber ich zählte zu spät. Sie fiel mir vorüber
wie ein Knabe, ein fremder, wenn man ihn endlich zuläßt,
doch den Ball nicht fängt und keines der Spiele
kann, die die anderen so leicht aneinander betrieben,
dasteht und wegschaut. Wohin? Stand ich und plötzlich,
daß du umgehst mit mir, spielest, begriff ich, erwachsene
Nacht und staunte dich an. Wo die Türme
zürnten, wo abgewendeten Schicksals
eine Stadt mich umstand, und nicht erratende Berge
wider dich lagen und in genähertem Umkreis
hungernde Fremdheit umzog das zufällige Flackern
meiner Gefühle —! da war es, du Hohe,
keine Schande für mich, daß Du mich kanntest. Dein Atem
ging über mich; dein auf weite Ernste verteiltes
Lächeln trat in mich ein."

Wir bewundern an diesem Gedicht die eindringliche Stete,
mit der Rilke einen durchlebten seelischen Vorgang in eine
Bilderreihe umsetzt und ohne weitere Ausmalung den Fluß

des Gefühlsverlaufs bis in seine letzten Wellenbewegungen hinein auskostet. Impression ist alles, und reine Eindruckskunst, ihrer stilistischen Kunstmittel bewußt, feiert hier ihren höchsten Triumph. Nichts erinnert mehr an die abgerissenen, nur die intensivsten Erlebnisse wiedergebende Art des Volksliedes. Auch die konventionell klassizistische, von Klopstock beeinflußte Form, in der etwa Hölderlin über das Erlebnis der Nacht berichtet, wirkt verglichen mit dieser Lyrik wie eine überwundene Vorstufe.

In zarten Konturen, mit leichten blassen Rokokofarben und nicht ganz ohne Betonung der Alltags-Uhrstunde schildert der Seher Griechenlands die Beseeltheit einer abendlichen Stadt.

„Ringsum ruhet die Stadt, still wird die erleuchtete Gasse,
und mit Fackeln geschmückt rauschen die Wagen hinweg,
Satt gehen heim, von Freuden des Tages zu ruhen, die Menschen,
und Gewinn und Verlust wäget ein sinniges Haupt,
wohl zufrieden zu Haus; leer steht von Trauben und Blumen,
und von Werken der Hand ruht der geschäftige Markt.
Aber das Saitenspiel tönt fern aus Gärten; vielleicht daß
dort ein Liebender spielt oder ein einsamer Mann
ferner Freunde gedenkt und der Jugendzeit; und die Brunnen
immerquillend und frisch, rauschen an duftendem Beet,
still in dämmriger Luft ertönen geläutete Glocken,
und der Stunden gedenk rufet ein Wächter die Zahl.
Jetzt auch kommet ein Wehn und reget die Gipfel des Hains auf,
Sieh und das Ebenbild unserer Erde, der Mond
kommet geheim nun auch, die Schwärmerische, die Nacht, kommt.
Voll mit Sternen und wohl wenig bekümmert um uns
glänzt die Erstaunende dort, die Fremdlingin unter den Menschen.
über Gebirgeshöhn traurig und prächtig herauf."

Und noch einmal erinnern wir uns aus der Helligkeit dieses Bildes heraus der dunklen monochromen Stimmung, die Rilkes „Große Nacht" in uns zurückließ. Schlicht wie das tägliche Wort, deutlich wie das nächste Ding, geben beide — Rilke wie Hölderlin — ihre Erfahrungen und Beobachtungen wieder. Aber während bei Hölderlin mehr der Gedanke spricht und das zaubrisch wechselnde Bild, registriert Rilke, gegenwartsferner als jener, die feinsten seismographischen Schwingungen der Seele, die „unbegehrend" die Dinge hinläßt, aus dem schmerzlichen Wissen heraus, daß man doch „nirgends bleibt".

Kein Halten kennt demnach diese Dichtung, kein Besitznehmen einer fremden Welt, sondern nur ein Spiegeln oder ein Umkreisen des geliebten, erfühlten, geahnten Gegenstandes. Denn alle Bilder und alle Gleichnisse deuten nur hin auf das Gemeinte, sind nur Zeichen für das, was uns restlos zu erleben verwehrt ist.

> „Bedenk' ist irgend Leben mehr erlebt
> als deiner Träume Bilder? Und mehr dein?
> Du schläfst, allein. Die Türe ist verriegelt.
> Nichts kann geschehen. Und doch von Dir gespiegelt,
> hängt eine fremde Welt in dich hinein."

Um aber diese fremde Welt zu erfassen — um ihr Spiegelbild mit allen seinen Nuancen aus einer bewegenden und bewegten Mitte heraus zu gestalten, dazu bedarf es einer subtilen Beobachtung des Körperlichen. Nur dem kühlen, unparteiisch nüchternen Blick erschließt sich aus der Gesamtrealität der Formen die „anschaubare Innerlichkeit" der Dinge.

Sachlichkeit des Ausdrucks, Treffsicherheit und äußerste Einfachheit allein genügen nicht. Sie bilden vielmehr erst die Vorbedingung zum künstlerischen Erfolg. Wer es verschmäht, aus dem Körper „eine Opfergabe für die Seele zu bereiten", muß weiter ausholen, muß zuvor eine lange und

126

mühevolle Vorarbeit leisten, ähnlich wie Rodin, der große „tailleur d'images", von dem der Dichter sagt, „er überrascht sein Modell in seinen Gewohnheiten und Zufälligkeiten, bei Ausdrücken, die erst im Entstehen begriffen sind, bei Müdigkeiten und Anstrengungen. Er kennt alle Übergänge in seinen Zügen, weiß, woher das Lächeln kommt und wohin es zurückfällt. Er erlebt das Gesicht des Menschen wie eine Szene, an der er selbst teilnimmt, er steht mitten drin und nichts, was passiert, ist ihm gleichgültig oder entgeht ihm. Er läßt sich nichts von dem Betreffenden erzählen, er will nichts wissen, als was er sieht. Aber er sieht alles." (Rilke von Rodin.)

*

Wenn früher die Dinge mit dem Dichter träumten und geschwisterlich dahindämmerten, wenn sie traurig und unerlöst den Einsamen wie die Eidola in den Gefilden der Seligen umstanden, so erwachen sie jetzt unter seiner Berührung zu bewegtem Leben, als habe der Demiurg, der seiende, allgewaltige Gott selbst sie erweckt.

Da ist das suchende Gesicht eines Hundes, der nicht ausgestoßen und nicht eingereiht in die menschliche Welt, aufschaut „mit einem Flehen, beinahe ergreifend und doch verzichtend". Da die Schwermut einer königlichen Stirn, die von verlorener Schlacht und verlorenem Lande erzählt. Oder das bleiche Rund einer Sonnenuhr, die die Stunde zu verschweigen beginnt, wenn der Schatten der Herrin über sie fällt.

Es ist erstaunlich, mit welch erhabenem Gleichnis Rilke die Dinge, die „um ihn waren als seine Brüder, reinigt von ihrer Schuld", indem er alles, was uns an ihnen aufdringlich, seltsam und gesucht erscheint, mit der Einfachheit einer großen und reinen Empfindung zurückleitet in das Reich der Natur. Dies Geheimnis eigentlich erst ist Rilkes Schicksal. Denn um seine Enträtselung hat er zeitlebens gerungen, nicht mit der analysierenden Denkkraft des Gelehrten, sondern mit der Genialität des Künstlers, der auswählt und vereinfacht, und mit dem offenen Instinkt eines aufmerksamen Menschen.

Selbst das Unbeseelte, Tote, die Welt „ungelebter Abbilder lieblich gelebter Leben", wird durch diesen fast hart anmutenden Willen zur Macht eingefangen in das reife, ausgewachsene Wort, in dem Sinn und Rhythmus eines ist und wie aus einem Block: die Flügel eines Schmetterlings, die wie die Seiten eines mittelalterlichen Missale leuchten, das anonyme Gerät eines unbekannten Toten, das zarte Gekräusel einer Spitze, ein kleines Bauernhaus, ein moosbedeckter Stein, Eisblumen am winterlichen Fenster. Zwielichtumdämmerte Zeiten, entfremdete Willen, entrückte Gewalten, Magier, Propheten, Sibyllen entwachsen ihren Verkleidungen. Eine nie geahnte Verständigung mit lebenden und stummen Dingen, Fels, Kreatur, Kunstwerk und Pflanze, bricht an.

„Denn was ist seit Anfang geschehen auf der Welt, was nicht auch ihm, dem Lyriker, geschehen wäre, — und wie könnte er sonst zu dem Gefühl der Ewigkeit kommen, nach welchem seine Kunst verlangt, wenn er nicht wagte, mit den Gipfeln der Vergangenheit seine eigenen Empfindungen zu bezeichnen, über die hinaus sein Weg zu immer neuen Beziehungen und Zusammenhängen führt."

Es ist der tragische Drang nach Reinigung und Klärung aller großen Welterscheinungen, der Rilkes Willen fast gewaltsam hinaufreißt auf die Höhen der Jahrhunderte. Mit

ANDRÉ GIDE
Gemälde von Paul Albert Laurens

einem Scharfblick, der trifft wie ein Schicksal, „unausweich-
lich und nicht ohne die leichte, zünftige Grausamkeit, die
nun einmal in den echten Dichtern groß ist" (Wilhelm Mi-
chel), werden die ewig menschlichen Prozesse ihrer histori-
schen Dogmatik entrissen und aus den alten biblischen und
mittelalterlich-legendaren Stoffen entwickelt.

Auf diese Weise entstehen gleichsam zyklische Balladen-
werke, die durch die Vielzahl der vorgeführten Komplexe
gewissermaßen in Verkürzung die Ganzheit der Welt reprä-
sentieren. Ihr Grundton ist das Aufeinanderprallen geistiger
Mächte, sittlicher Gegensätze: der Kampf zwischen aufblü-
hendem und absterbendem Leben in „Abisag" und in „David, der vor Saul singt", das Mysterium erotisch-religiöser
Hingabe in „Pietà", der Kontrast zwischen Opfertod und
Lebenswille in „Alkestis", der Gegensatz zwischen Altem
und Neuem Testament in „Josuas Landtag" und im „Öl-
baumgarten". Und schließlich ersteht wie aus einer einzigen
Vision das Gleichnis der Unendlichkeit selbst — Gotamo
Buddh, dessen Kolossalbild in Turfan wohl am eindringlich-
sten des Erhabenen Wesen enthüllt.

„Der Heilige hat die Augen — sehr breitgezogene, völlig
von den Lidern bedeckte Augen — bis auf einen Spalt geschlossen. Ganz unglaublich milde, mit einer wissenden Resignation, beinah mit Ironie, lächelt der Heilige: Lippen und
Mundwinkel sind verzogen, die Linien von der Nase zum
Mund vertieft.... Er ist ein einzigartiger feiner, tiefer
Mensch seiner Zeit, mit allen Wassern des Wissens seiner
Periode gewaschen, der einmal den Schreck des Daseins erfuhr. Diesen Schreck hat er nicht ausgewischt. Er hat sich
von ihm willig durchwühlen lassen und ist mit ihm fertig
geworden. Man sieht aus diesem Gesicht, ... daß er alles

gesehen hat, alles empfunden hat, was Menschen empfinden und was um sie vorgeht." (Alfred Döblin.)

Und nun Rilke:

> „Als ob er horchte. Stille: eine Ferne...
> wir halten ein und hören sie nicht mehr.
> Und er ist Stern. Und andre große Sterne,
> die wir nicht sehen, stehen um ihn her.
>
> O er ist alles. Wirklich, warten wir,
> daß er uns sähe? Sollte er bedürfen?
> Und wenn wir hier uns vor ihm niederwürfen,
> er bliebe tief und träge wie ein Tier.
>
> Denn das, was uns zu seinen Füßen reißt,
> das kreist in ihm seit Millionen Jahren.
> Er, der vergißt, was wir erfahren,
> und der erfährt, was uns verweist.

Und schließlich ist es nur die letzte Konsequenz dieser „kalt gemeisterten Ergriffenheit", wenn sie die bildende Kunst selbst, Plastik und Architektur, eingehen läßt in ihren Bildersaal, und zwar nicht als Anregung zu ästhetisch-pretiösen Plaudereien, sondern mit der ganzen Strenge einer wahrhaft marmornen Form, vor deren Sachlichkeit jede Neigung zu lyrischer „Vertönung" zerbricht. Als seien sie den kühlen Räumen des Museums selbst entnommen und ins helle Licht des südlichen Tages gerückt, so erheben sich aus der Entkettung und Wiederverschlingung der Strophen, aus affektvollen Vokalfolgen und rhythmischen Pointen die plastischen Gestalten der alten Welt, groß in der Glut ihrer Glieder und unwiederholbar in den Gebärden ihres gebändigten Blutes.

Apollo rührt seine Leier und Antonius blickt in den ewigen Strom, kein Stern unter Sternen, sondern ein Gott an den Ufern des Nils. Auch Orpheus kehrt noch einmal, aber schon wendet er sich zu den Schatten zurück und keine Macht vermag seine Klagen zu enden. Denn jetzt erst, so scheint es, steigt aus den Fluten des Meeres das Wunder der Wunder empor, Aphrodite, die jungfräuliche Göttin der Liebe.

"Von erster Sonne schimmerte der Haarschaum
der weiten Wogenscham, an deren Rand
das Mädchen aufstand, weiß, verwirrt und feucht.
So wie ein junges grünes Blatt sich rührt,
sich reckt und Eingerolltes langsam aufschlägt,
entfaltet ihr Leib sich in die Kühle
hinein und in den unberührten Frühwind.

Wie Monde stiegen klar die Kniee auf
und tauchten in der Schenkel Wolkenränder,
der Waden schmaler Schatten wich zurück,
die Füße spannten sich und wurden licht,
und die Gelenke lebten wie die Kehlen
von Trinkenden.

Und in dem Kelch des Beckens lag der Leib
wie eine junge Frucht in eines Kindes Hand.
In seines Nabels engem Becher war
das ganze Dunkel dieses hellen Lebens.

Darunter hob sich leicht die kleine Welle
und floß beständig über nach den Lenden,
wo dann und wann ein stilles Rieseln war.
Durchschienen aber und noch ohne Schatten,
wie ein Bestand von Birken im April,
warm, leer und unverborgen lag die Scham.

Jetzt stand der Schultern rege Waage schon
im Gleichgewicht auf dem graden Körper,
der aus dem Becken wie ein Springbrunn aufstieg
und zögernd in den langen Armen ablief
und rascher in dem vollen Fall des Haares.

Dann ging sehr langsam das Gesicht vorbei:
aus dem verkürzten Dunkel seiner Neigung
in klares, waagrechtes Erhobensein.
Und hinter ihm verschloß sich steil das Kinn.

Jetzt, da der Hals gestreckt war wie ein Strahl
und wie ein Blumenstiel, darin der Saft steigt,
streckten sich auch die Arme aus wie Hälse
von Schwänen, wenn sie nach dem Ufer suchen.

Dann kam in dieses Leibes dunkle Frühe
wie Morgenwind der erste Atemzug.
Im zartesten Geäst der Aderbäume
entstand ein Flüstern, und das Blut begann
zu rauschen über seinen tiefen Stellen.

Und dieser Wind wuchs an: nun warf er sich
mit allem Atem in die neuen Brüste
und füllte sie und drückte sich in sie, —
daß sie wie Segel, von der Ferne voll,
das leichte Mädchen nach dem Strande drängten.

So landete die Göttin.

Hinter ihr,
die rasch dahinschritt durch die jungen Ufer,
erhoben sich den ganzen Vormittag
die Blumen und die Halme, warm, verwirrt
wie aus Umarmung. Und sie ging und lief.
Am Mittag aber, in der schwersten Stunde,
hob sich das Meer noch einmal auf und warf
einen Delphin an jene selbe Stelle.
Tot, rot und offen.‟

Wo, so fragen wir angesichts einer solchen Schöpfung, ist der Dichter, der die Fülle dieser Gesichte meistert, der sie in einen Moment, in eine Geste vereinfacht? Er ist ganz eingegangen in diese Welt, so daß er nichts mehr ist als sie.

Kein Bekenntnis, keine subjektive Regung bindet ihn an die Gebilde seiner Kraft. Seine Dichtungen sind Lieder, Legenden, Balladen, all dies zugleich und niemals das, was ihre lyrische Form zu sein scheint, — es sind Bilder einer groß geschauten, gesteigerten Totalität, in der kein Ich sich spiegelt und keine Sentiments die Wirklichkeit umschmeicheln.

„Das plastische Bild gleicht jenen Städten der alten Zeit, die ganz in ihren Mauern lebten: die Bewohner hielten deshalb nicht ihren Atem an, und die Gebärden ihres Lebens brachen nicht ab. Aber nichts drang über die Grenzen des Kreises, der sie umgab, nichts war jenseits davon, nichts zeigte aus den Toren hinaus, und keine Erwartung war offen nach außen. Wie groß auch die Bewegung eines Bildwerkes sein mag, sie muß, und sei es aus unendlichen Weiten, sei es aus der Tiefe des Himmels, sie muß zu ihm zurückkehren, der große Kreis muß sich schließen, der Kreis der Einsamkeit, in der ein Kunst-Ding seine Tage verbringt." (Rilke, Rodin.)

Die Geschichte der Lyrik kennt einige ähnliche Versuche zu gleich objektiven Zielen. Künstlerische Ganzheiten wie Rilkes Dichtungen gibt es jedoch sonst nicht. Selbst Conrad Ferdinand Meyer, den wir ob seiner sachlichen Einstellung mit Recht den Eröffner der bildhaften Lyrik nennen, lebte seiner Aufgabe nicht mit der gleichen Konsequenz wie es Rilke nach Rodins Vorbild tat. Zwar fügen sich auch seine Worte mit derselben Verhaltenheit, die ihr Schöpfer an Michelangelo rühmt — wie die Steine der Dome, zu dauernden zufallslosen Bindungen, und auch von ihm gilt, was Rilke von

Rodin erwähnt: „Er gibt nicht dem ersten Eindruck recht und nicht dem zweiten, und von allen nächsten keinem. Er beobachtet und notiert. Er notiert. Er notiert Bewegungen, die keines Wortes wert sind, Wendungen und Halbwendungen, vierzig Verkürzungen und achtzig Profile.‟

> „Sechsunddreißigmal und hundertmal
> hat der Maler jenen Berg geschrieben,
> weggerissen, wieder hingetrieben
> (sechsunddreißigmal und hundertmal)
> zu dem unbegreiflichen Vulkane
> selig, voll Versuchung, ohne Rat. —‟

Und dennoch gibt es etwas, was die beiden Dichter von einander trennt und den einen von dem andern abhebt wie — eben ein griechischer Marmorleib von den aus den Rändern sternenhaft hervorbrechenden Körpern Rodins.

Rilke selbst spricht einmal in einem Briefe andeutungsweise von diesem Unterschied: „Bei Conrad Ferdinand Meyer fällt der schöne Schluß oft mit dem wirklichen Schluß zusammen, aber Marmor hallt ja eben auch nicht nach.‟ Das ihm eigene unantastbare Beenden verhindert ein reicheres Nachklingen und das „darf man keinem Gedichte nehmen‟. Rilkes Verskunst dagegen — ein hellmetallenes, von vornherein zu verborgenem Weitertönen bestimmtes Glockenerz — wehrt sich gegen dieses marmorne Begrenztsein. Sie folgt ihm nur dort, wo der Stoff die geschlossene Form als „natürliche Grenze künstlerischer Vollendung‟ benötigt.

Dieser für die ästhetische Wertung Rilkescher Lyrik nicht unwesentliche Vergleich behält auch Stefan George gegenüber seine Gültigkeit. Die schwingende Musik der französischen Lyrik, die George in der deutschen Sprache bekämpfte, die Weite der slawischen Melodien, die seinem klassischen

Empfinden wie alles Nicht-Südliche zeitlebens fremd blieb, kommen bei Rilke trotz seiner stets prägnanten Ausdrucksweise zu voller Geltung. Sie verleihen seiner Sprache einen freieren gelösteren Rhythmus und mildern die Strenge lateinischer Wortkultur, die George erstrebt.

Aber selbst abgesehen von diesem Formunterschied bleibt Rilke auch in dieser, inhaltlich scheinbar so verwandten dritten Periode seines Schaffens der große Gegenspieler Stefan Georges. Denn beide, Rilke und George, sind nun einmal vermöge alles dessen, was sie zu einer künstlerischen Erfüllung ihrer Existenz trieb, Gegensätze, ähnlich wie Homer und Pindar, Goethe und Hölderlin Gegensätze gewesen sind. Ja, sie sind geradezu die Pole, zwischen denen die lyrische Dichtung der Gegenwart hin- und herschwingt. Denn immer wo Lyrik ist, ist beides. Weder verliert sich der mystische Urgrund in der apollinischen Welt Georges, noch die plastische Bildkraft in den dunkelschweren Gesängen Rilkes. Darüber hinaus aber gibt es feste, unverrückbare und unüberschreitbare Grenzen.

George errichtet aus Geschichte, Sage und Mythus Standbilder des Menschentums. Rilke malt auf dem Goldgrund der Liebe die Legende aller zeitlichen Dinge.

George umkreist alle Weiten und Breiten des wirklichen Seins, um sie auf „die heilige Norm seines Herzens" zu beziehen, nach der sich alle Menschen und alle Werte zu richten haben wie die Pflanzen nach der Sonne. Rilke schweift selbstlos ab in die tausend und abertausend Dinge dieser Welt, denkt sich in sie hinein, gibt sein Herz hin, daß es aufgehe in ihnen und wirksam werde.

George durchschreitet das Reich des Sichtbaren und begabt es mit „menschlichem Rhythmus, Blut und Sinn und

Leib". Rilke aber löst alle äußere Welt in eine innere auf, indem er einen jenseitigen, übersinnlichen Himmel über ihre Erscheinungen spannt.

Aus den Hintergründen einer großen und dunklen Tiefe wölbt er seine Bilder, Gleichnisse und Symbole ins helle, wolkenlose Licht empor wie der Steinmetz die Türme unserer Münster, um deren Zierate die Vögel ihre Kreise ziehen. Schwindelnd steigen die Strebepfeiler und Kreuzblumen seiner Worte empor. In rauschenden Akkorden erheben sich von Geschoß zu Geschoß leichtere, innigere Farben, alles Gebundene lösend, alles Aufgelöste neu bindend. Eine tiefe berückende Dialektik der Sprache — einst als Dialektik des mittelalterlichen Geistes Gestalt geworden in der Systematik gotischer Kathedralen — umreißt die Welt und fügt ihre sichtbaren Zeichen, Tier, Blüte und Stein, zum Sinnbild kosmischen Geschehens.

*

ORPHEUS

Frühling 1913. Am Rande des Adriatischen Meeres, zwischen Laubgehängen und sanften Hügeln, ruht von den Farben der Frühsonne umlodert, wie der Bottich im Weinberg, ein verwunschenes Schloß. Seine Fenster schauen blau vom Schimmer des Wassers und groß wie die Augen eines Kindes. Nirgends ist Bewegung. Nur an einem der Fenster lehnt am breiten Ausschnitt des geöffneten Flügels ein Mann und blickt schmal und unbeweglich hinaus in den Strahlenglanz, der aus den Rändern der Gesträucher über den Garten springt.

Es is Rilke.

Vielleicht denkt er an den beginnenden Morgen in den Tuileriengärten, an Paris überhaupt oder an Rodin, . . . an Rodin, den der Schatten der allzu großen Nähe ihm so jäh entfremdete. Oder war es, weil sie beide — zwei solche Menschen — wie zwei riesige Berge sich in ewiger Ruhe einander gegenüberstanden? — — —

Rainer Maria Rilke ist glücklich. Keine Fremde macht mehr die Wellen seines Herzens schwankend. Es beruhigt ihn, da er wie Tasso, den er so liebt, um seine Bestimmung weiß: allein zu bleiben unter den Menschen, von allen entfernt und abgetrennt.

Als die Mandelbäume blühten und das Grün des Frühlings wie eine Ouvertüre einbrach in das beginnende Farbenorchester, war er nach Duino gekommen, aus übergroßer Sehnsucht nach der Liebkosung des kristallklaren südlichen Himmels. Was hätte er auch sonst tun sollen? Paris war eine menschliche Angelegenheit, Kunst, Zierat, Ornament. In Duino dagegen gab es Himmel, Sterne, schäumende Pracht, Äste wie kantige Männerarme, Tiere und Dinge. Dort war die Einsamkeit der vollendeten Gestalt und jene Stille, die seiner eigenen, nach innen lebenden Natur so verwandt erschien.

Unter uralten Steineichen und Lorbeersträuchern, in deren Gezweig Wildtauben nisteten, konnte er die milde, heilende Luft einatmen oder sich in ungestörter Beschaulichkeit und mit dem eifernden Ernst eines Kindes in die Ordnung seiner Erfahrungen vertiefen. Denn hier hatte er die Muse dazu, zumal es sein Schaffensgesetz war, in größeren Intervallen zu arbeiten, aber dann gleich mit schrankenloser Hingabe.

In den Zeiten der Entspannung lebte er ganz einer geduldigen, in nichts überstürzten Vorbereitung auf das Unbestimmt-Kommende. Wenn er sich nicht Pläne oder Erinnerungen ins Gedächtnis zurückrief, sann er über die nächsten und einfachsten Dinge nach oder er sprach mit Freunden, die der Weg zu kurzer Rast vorüberführte, über jene Probleme, die aus den seelischen Beziehungen zwischen Gott-Vater und Gott-Sohn hervorgehen, über den Wert und die Innigkeit des Opfers, über den Gegensatz von Art und Gesinnung, über die Sätze des Joghi.

Besonders am Abend, wenn die Baumgruppen wie dunkle Riesenmauern aufsteigen und jedes Ding über seine Konturen hinaus zu wachsen scheint, sprach er weich und gut und es war rührend zu bemerken, wie selbst die fremdesten Eindrücke zu ihm kamen wie zu einem Vertrauten.

Auch schrieb er um diese Zeit viele Briefe, lange, liebevolle Briefe an solche, die reinen Herzens Tröstung suchten bei ihm. 115 Briefe schrieb er einmal in ganz kurzer Zeit und keiner unter diesen mit einer zarten, sorgfältigen Schrift bedeckten Bogen war aus irgendeinem persönlichen Wunsche heraus entstanden. Sie waren alle aus innerstem Liebesgefühl geboren und voller Bestimmung für die, die sie erhielten.

„Es gibt so viele Leute, die von mir — ich weiß nicht genügend was, erwarten —: Hilfe, Ratschläge, von mir, der ich mich so ratlos vor den gebietendsten Dringlichkeiten des Lebens finde. Und obwohl ich weiß, daß sie sich täuschen, sich irren, fühle ich mich dennoch — und ich glaube nicht, daß es Eitelkeit ist — versucht, ihnen etwas aus meinen Erfahrungen mitzuteilen, einige Früchte meiner langen Einsamkeiten. Es sind sowohl junge Frauen als junge Mädchen, fürchterlich verlassen selbst im Herzen ihrer Familie. Jung verheiratete Frauen, entsetzt über das, was ihnen geschah. Und dann all diese jungen Arbeitsleute, meist revolutionär, die ohne jede Orientierung aus den Staatsgefängnissen kommen, sich in die Literatur flüchten und trunkene boshafte Poesien dichten. Was soll ich ihnen sagen? Wie ihr verzweifeltes Herz aufrichten, wie ihren formlosen Willen gestalten, der unter der Gewalt der Ereignisse einen entliehenen, ganz provisorischen Charakter angenommen, und deren Verwendung sie kaum kennen. Die Erfahrungen Maltes verpflichten mich mitunter, auf diese Schreie Unbekannter zu antworten. Er würde es getan haben, er, wenn je eine Stimme ihn erreicht hätte . . ." (Brief Rilkes an eine Freundin, aus dem Februarheft der „Nouvelle Revue française" 1927, übertragen von Kilian Kerst.)

Denn: „Alles Lebendige, das Anspruch macht, stößt in mir auf unendliches Ihm-recht-geben, aus dessen Konsequenzen ich mich dann schmerzlich wieder zurückziehen muß, wenn ich gewahre, daß sie mich völlig aufbrauchen."

Muß ein solcher, allem Fremden preisgegebener und wie „ein Toter in einem alten Grabe zerstreuter" Mensch nicht eine tagtägliche Flucht aus der Welt an sich vollziehen, wenn er sich bewahren und verwirklichen will?

Nur eine langwährende vorbereitende Stille, oder, wie Rilke selbst einmal sagt, ein „einleitendes Vorspiel", das frei ist „von allen Reizen und Stimulanzen und einzig in einer fröhlichen und wie verklärten Übereinstimmung der ganzen Natur besteht", vermochte seiner Arbeit den siegreichen Auftakt, den Sturm des Werdens und das Te deum der Vollendung zu geben.

Und ein solches Vorspiel, Gebet um Erhörung und Danklied zugleich, war auch jener kurze, von jeder Geselligkeit verschonte Aufenthalt in Duino. Denn nur so, wie er dort lebte: befreit von allen Verpflichtungen, die das gewöhnliche Leben dem Geiste abnötigt — vermochte der Dichter die neuen Gesänge zu beginnen, die ihm nun im Zentrum seines Herzens diktiert wurden.

*

Doch die „ersehnte und verklärte Übereinstimmung" mit der leidenschaftslosen südlichen Landschaft war nicht von langer Dauer. Der Ausbruch des Weltkrieges, der ihn in seinem Innersten wie ein greller, tödlicher Blitzstrahl traf, verurteilte den Dichter zu neuer Wanderschaft.

„Meine Verhältnisse sind höchst unsichere und fortwährenden Veränderungen ausgesetzt. Ich darf mich nicht darüber täuschen, daß ich mir einige Leistungen verantwortlicher Art wieder abringen werde, wenn sie etwas Gleichmäßigkeit gewonnen haben ... es tut not, daß ich alles, was sich hervorbringen läßt, vor allem größeren (1914 zerstörten) Arbeiten zuwende, mit denen mein ganzes Innere, solang sie anstehn, unterbrochen ist."

Wir verstehen, wenn wir diese Briefstelle aus dem Jahre 1921 lesen, wie sehr Rilke, um die neuen Gesänge (gemeint sind die Duineser Elegien) zu vollenden, einer uneingeschränkten Einsamkeit bedurfte. Vierzig Tage und vierzig Nächte in der Wüste genügen nicht. Denn alles Reifen setzt eine ungeheure Stille voraus, jene Stille, die war, bevor die Welt war.

Dreizehn Jahre verschloß sich der Dichter. Dreizehn Jahre schwieg er und fast schon hatten ihn die Menschen vergessen, da sie — fortgerissen von dem Atem eines grausamen Weltgeschehens — mit ihrem Blute in jene Erde eingingen, aus deren Innerstem heraus Rainer Maria Rilkes Sang emporstieg.

Denn endlich durfte er im Frühjahr 1925 von seinem neuen Wohnsitze, dem Schlößchen Muzot im Kanton Wallis, aus die Vollendung seines letzten großen Werkes berichten.

„Die Elegien sind da... Neun große, und dann ein zweiter Teil zu ihrem Umkreis Gehöriges, das ich Fragmentarisches nennen will, einzelne Gedichte, den größeren verwandt, durch Zeit und Anklang. So. Jetzt erst werde ich atmen und gefaßt an Handliches gehen. Denn dies war überlebensgroß, — ich habe gestöhnt in diesen Tagen und Nächten, wie damals in Duino, — aber, selbst nach jenem Ringen dort, ich habe nicht gewußt, daß ein solcher Sturm aus Geist und Herz über einen kommen kann. Daß man's übersteht! Genug, es ist da. Ich bin hinausgegangen in den kalten Mondschein und habe das kleine Muzot gestreichelt, wie ein großes Tier —, die alten Mauern, die mir's gewährt haben. Und das zerstörte Duino." —

Ob jemals ein Mensch, mitgerissen von der jubilierenden Freude dieser Beichte, von ihrer Glut und Lebendigkeit, wird ganz ermessen können, was es heißt, so mit den Grausamkeiten des Daseins zu ringen, wie es auf dem Höhepunkt seines Lebens Rilkes Bestimmung gewesen? Denn nie zuvor war die Tyrannis der Wirklichkeit brutaler über seine Empfindungen hergefallen als in jenen Jahren, wo der Erdball vom Lärm der kriegerischen Leidenschaften widerhallte. Zwar sah der Dichter mit der Helligkeit dessen, der mit einem Fuß schon jenseits dieses Lebens steht, über seine Gegenwart hinaus in eine Zeit, wo die Siege, für die die fanatisierte Menschheit zu kämpfen glaubte, sich als tragische Utopien erweisen würden.

Denn das Zerwürfnis Europas war ja nur das Symptom für die viel furchtbarere Zerrüttung des Lebens selbst, für die Wesen- und Seelenlosigkeit, die über uns hereingebrochen war; für die Entwertung des Menschen.

> „Die großen Worte aus den Zeiten, da
> Gescheh'n noch sichtbar war, sind nicht für uns.
> Wer spricht von Siegen? Übersteh'n ist alles."

Übersteh'n ist alles! — Wer wüßte tiefer darum? Wer anders noch als Rilke, der soviel überstanden hat, der sich so oft verwandelte, ohne sich selbst zu verlieren? Ja, der schließlich sogar den äußersten Weg, den je ein Dichter gegangen ist, in nie gewesener Klarheit zurückgelegt hat, den Weg der Überwindung der Kunst durch die Kunst. Denn dieses wurde jetzt seine Aufgabe: über die Einheit von Inhalt und Form hinaus zu neuer Größe, zu einer Größe, die er seiner ganzen Natur nach nicht als Größe des Helden, sondern als Mythos, als Größe des Mythos empfinden mußte.

144

Milton hatte diese Größe vernommen, Klopstock, Leopardi, Hölderlin. Und nun steht sie wieder unter uns auf, nur gewaltiger, reiner, brausender.

„Es ist das Furchtbare der Kunst, daß sie, je weiter man in ihr kommt, desto mehr zum Äußersten, fast Unmöglichen verpflichtet." (Duino 1911.)

Aber erschrecken wir nicht vor diesem Vorhaben, das uns so unglaubhaft und doch auch wieder so schicksalhaft notwendig erscheint? Denn ist eine Erfüllung nicht geradezu unmöglich für einen Dichter, der unter dem Einfluß Rodins in dem Dogma der „Kunst für die Kunst" eine konservative, gegenzivilisatorische Macht zu besitzen glaubte? Der ein Werk geschaffen hatte, dessen Selbstzucht und plastische Umrissenheit unzweideutig bekundet, daß sein Verfasser dem romantischen Zauber der Musik mißtraut, da sie — nach seinen eigenen Worten — „ins Unfertige versetze" und als Reaktionsbewegung gegen jede Art von Klassizität zur Undisziplin verleite?

Und nun auf einmal diese Wendung, diese unerhörte Absage an sich selbst! Nur ein eminent musikalischer Wille — Musik gefaßt als der unsichtbar allem Gestalten vorhergängige schöpferische Prozeß — vermochte in sich die Gegenkraft zu schaffen, die zu einem solchen Aufstieg zur Harmonie des „stillen tiefen Sternenjahres", zur Verkündigung des wegweisenden Schicksals notwendig war. Denn wenn auch die Überwindung der Musik das klassische Zeichen ist, unter dem sich Rilkes Künstlertum vollzieht — Symbol das Rodin-Erlebnis —, so glänzt eben doch gerade am Ende dieses Daseins eine äußerste Treue und Dankbarkeit für das Überwundene herauf.

Der einst die Musik opfern mußte, folgt ihr hinab.

*

Freilich, so ganz ohne schwere, innere Kämpfe vollzog sich auch diese „Enttäuschung" bereits formgewordener Werte nicht. Ein gefährlich problematischer Zustand des Schwankens, des Gespaltenseins zwischen Natur und Kunst, zwischen Mystik und Gestalt, zwischen Einsamkeit und Gemeinschaft, oder wie immer man die Polarität dieser menschlich-künstlerischen Strömungen benennen will, ging (wie so oft in Rilkes Leben) auch jetzt der Vollendung vorauf. Denn diese letzte Vollendung durfte ja nicht nur ein „Anfang von neuem", sie mußte zugleich die folgerichtige Erweiterung seiner Bahn sein, die Füllung einer „Weltallkugel, deren Mittelpunkt überall, deren Umfang nirgends ist". Daher auch die kritische, ein ganzes Dezennium während Spanne des Schweigens, die nun nach dem entscheidenden westlichen Erlebnis wie eine Atempause vor letztem schwerem Erntegang Rilkes Werk unterbricht. Dann aber, nachdem die Gefahr überwunden und der Ausgleich zwischen Ost und West errungen ist, erscheinen die großen Erfüllungen dieses Pilgerdaseins: die Sonnette an Orpheus und die Duineser Elegien.

Es ist etwas Erschütterndes um diese Abwendung des schon Ergrauenden von der Vielheit der Dinge, an die er so lange das Erbteil seines adligen Blutes verschwendet hatte, zur Askese des Verzichts, zur Erkenntnis des Wesentlichen, zur „gemeinsamen Tiefe". Erinnerungen an Klopstock und Goethe, Erinnerungen vor allem an den späten Hölderlin werden wach: an den schon geblendeten, patmisch Entrückten, dessen „hohe geistreiche Wehmut" das Ewige beschwört. Und so fragen wir noch einmal — durch die Nennung gerade dieses Namens verwirrt —: verführte den Dichter wirklich der orphisch-weise Zauberklang der Musik, dem auch das Logosfeuer des „Griechenland-Sängers" zuletzt erlag, oder war es vielleicht mehr eine Art Rückkehr zu sich selbst aus dem Geheimnis der ewigen Wiederkehr aller Dinge, die den so Wandlungsfähigen auf seine eigene Natur zurückverwies und sein Ende mit dem Anfang, seinen Westen mit dem Osten verknüpfte?

Wir wissen es nicht, denn auch diese Überraschung entstammt „den rätselhaften Tiefen der Persönlichkeit", die man wohl erahnen, aber niemals erklären kann. Das eine aber dürfen wir glauben, daß gerade Rilke, der große Einsame, in dem verwunschenen, sturmumtosten Turm von Muzot irgendwie um das tiefe Außer-der-Zeit-sein, um das Einsiedlerische der Musik erfahren hat, was ihn bewog, sich selbst an der Grenze der Wege, die über das Wort noch hinaus führen, in Tönen zu versuchen. Denn was berückt uns mehr an diesen einzigartigen Spätwerken als das eigenartige Halbdunkel der Form und des Inhalts, das immer und immer Kennzeichen dieser verschwebenden und schwierigen Materie sein wird, was anders als ihr musikalischer Vorwurf: das Unendliche?

Es ist nicht zu viel gewagt, dem reifen, angesichts des Todes von einem großen Allgefühl durchdrungenen Dichter die Worte des von Arion verlockten Nietzsche in den Mund zu legen: „Unter welche Rubrik gehören eigentlich diese Werke? Ich glaube beinahe unter die Symphonien."[*]) Denn nur zufällig sind Rilkes letzte Schöpfungen nicht mit Noten, sondern mit Worten geschrieben.

Musik ist das Element, das aus ihren weiten, schwebenden Wölbungen heraufklingt. Orpheus ist es, der zerstückte, in die Vielheit der Dinge eingegangene, aus der Fülle der

[*]) Friedrich Nietzsche an Peter Gast.

Erscheinungen singende Gott. Dem in der Reife des Sommers stehenden Menschen galt noch das Auge als das einzige Tor in die Beglückungen der Welt, dem herbstlich Erblindeten, leise ins All Verströmende kann nur das Ohr den Klang göttlicher Harmonie vermitteln.

Doch das musikalische Element allein ist es nicht, was diese letzten Gedichte von allen früheren abhebt. Ihr dunkler herber Mollton ist vielmehr nur das sinnliche Zeichen der Weltstunde, in der der Pendelschlag des künstlerischen Willens in diesem Augenblick schwingt, ebenso wie die großartige Einfachheit der Bilder, deren regelmäßige Quaderung das rhythmische In-sich-zurückfluten ordnet, den nachwirkenden Einfluß Rodins verrät.

Das Kernerlebnis selbst hat sich geändert. Denn Rilkes vielgestaltige, in einer immerwährenden wunderbaren Metamorphose begriffene Seele kennt keine starre Bindung an ein geläufig gewordenes Schema. Ihre Richtungsbestimmtheit ist die freie heroische Tat des Bildners, der von Form zu Form fortschreitet und auf wechselnden Höhepunkten der Erfüllung des Lebens selbst entgegeneilt. Diese Erfüllung aber kann für Rilke nur eine letzte, aus den Prozessen des geistigen Seins herauskristallisierte und zum Weltbild aufgerichtete Erkenntnis sein oder wie er selbst sagt — „die gesammelte Süßigkeit des ganzen Lebens".

Erinnern wir uns an dieser Stelle, da nicht annähernd ausgeschöpft wurde, was dieses Leben erfüllt, noch einmal, welchen Weg der Dichter bisher zurückgelegt hat.

In seiner ersten rein lyrischen Periode (lyrisch nach dem konventionellen Sprachgebrauch der Schulpoetik) spricht noch aus allen künstlerischen Anlässen das Ich als das Nurpersönliche. In der zweiten Periode, die durch das russische

Erlebnis vorbereitet und durch die „Neuen Gedichte I. und II." vollendet wurde, erlebt dieses lyrische Ich die Dinge selbst und erhebt sie unter Verzicht auf jedes subjektive Urteil zu selbständigen, arteigenen Gebilden. Die Gedichte der dritten Epoche endlich (begonnen in Duino und vollendet in der Einsiedelei von Muzot) gehen, in natürlicher Weise fortschreitend, über dieses bildnerische Hinstellen hinaus, indem sie die also gewonnenen Erkenntnisse und Erfahrungen zu einem eigenen Leben zusammenschließen.

Es ist ein weiter und an Verwandlungen reicher Weg, den der Dichter mit der Erreichung dieser Station zurückgelegt hat. Aus einem Epigonen der Romantik, aus einem melancholischen Lyriker der Decadenz war der „Sprecher eines in Leid und Entzücken überpersönlichen Weltgefühls" geworden, und die tiefere Ursache, die einer solchen Vollendung zugrunde liegt, war die zwar schmerzliche, aber unausbleibliche Leiderfahrung, daß der Mensch im Lärm der Welt fast gänzlich die unzähligen irdischen Reichtümer verloren hat, die ihm von Anbeginn zugedacht waren. Statt in sich geschlossen und gebunden ein Leben der Mitte zu leben, und sich zu scheiden von dem Egoismus, der nur haben will, durch die Größe, mit der er sein will, gibt sich der Mensch dem betörenden Schlagwort „Fortschritt" hin, weil er glaubt, nur außerhalb seiner „wachsen", „reifen", „fortschreiten" zu können.

Von dieser schmerzhaften Erkenntnis, so ferne zu sein dem Da-Sein und dem ruhigen Von-sich-erfüllt-sein aller Kreatur, künden Rainer Maria Rilkes Duineser Elegien.

„Es gibt jetzt nur nach innen zu erfreulichere Schritte, wo im Grunde Ewigkeit und Zeit in der Einmaligkeit des Ichs sich treffen, wo allein noch das Dasein Unterkunft und Ausgleich ist. In seltenen begnadeten Augenblicken gelangen wir an diese göttliche Stelle unseres Wesens. Nur aus ihr können Künstler schaffen und Weise erkennen."*)

> „Durch alle Wesen reicht der eine Raum:
> Weltinnenraum. Die Vögel fliegen still
> durch uns hindurch. Oh, der ich wachsen will,
> ich seh hinaus, und in mir wächst der Baum.
>
> Ich sorge mich, und in mir steht das Haus.
> Ich hüte mich, und in mir steht die Hut.
> Geliebter, der ich wurde: an mir ruht
> der schönen Schöpfung Bild und weint sich aus."

Geliebter, der er wurde ... Aber — „um den Preis des Alleinseins", um den Preis der Einsamkeit, die nichts Fremdes, anderes einläßt in sein Schicksal, weil sie alle Sehnsüchte für immer freigegeben hat, für immer frei. In ein sehr kleines, furchtbar abgeschlossenes Bergschloß hat sie ihn verwiesen, von dem fast keine Brücke mehr zur Außenwelt führt. Dort — im Turm von Muzot — lauscht der Dichter dem endlosen Monolog seines Herzens, das „durch nichts von sich selbst und dem Gefühl allein zu sein abgelenkt" wird. Dort tauscht er in endlosen Wintern mit den verschlossenen Geistern seiner Bücher die Macht der Gedanken aus.

*

Der Einsiedlerturm von Muzot, das „Schloß", wie die Walliser Bauern sagen, wo „Monsieur le poète" gewohnt hat, was für ein geheimer Zauber liegt um diese Stätte tiefster Meditation!

*) Aus einem Briefe Rainer Maria Rilkes.

„Wenn Herr Paul Valéry de l'Académie Française (von dem noch die Rede sein wird) sich vom Edelmann Rilke im Chateau de Muzot verabschiedete und die schmalen Treppen hinunterstieg, leuchtete ihm als Licht in der Finsternis — eine Petroleumlampe —. Armer Rilke! . . . Er hätte Elektrizität haben können, aber sein feudales Herz empfand sie als Verblendung gegenüber dem dreizehnten Jahrhundert seines Schlosses. Paul Valéry fand alles notdürftig, die Fenster karg, dazu eine überschwengliche, furchtbare Einsamkeit und eine traurige Berglandschaft, während Rilke sich eben in die Geometrie der Fenster verliebte und einen ganzen Zyklus von Fenstergedichten ersann. Und diese gemessen schöne Landschaft war die einzige, die er „singen und rühmen" mochte. . . . Dem Gärtner Rilke war sie voll süßer Versprechungen. Rosen labten, Apfelbäume beschatteten ihn. Ein Bergbach höhlte nebenan den Kiesel. Der Garten selbst ist wie von einem Schneidekünstler durch Hänge getrennt, so daß der Garten nützlicher Kräuter nicht beschämt wird durch den Ziergarten, der als Antlitz die Erde beblüht. . . .

Und hier in dieser unbekümmerten Idylle des Friedens war es auch, wo Rainer Maria Rilke, getragen von dem Rhythmus eines unerhört einfachen Daseins und hingerissen von der Größe der Landschaft, die sein Hieronymus-Gehäus umschloß, zum letzten Male die Lust der Jugend empfand „zu singen und zu rühmen". Zwar spricht auch in diesen Abschiedsgesängen, wo das Herz das Letzte von sich fort sagt, weil es sich selbst entsagt hat, noch der von den Dingen besessene, von der „Qual der in den Weltplan eingezwängten Kreatur" erschütterte Dichter. Unmerklich aber hat seine Seele die gefährliche Realität der Dinge verlassen. Denn nicht der Erfühler ihrer tausend Nöte und Verlokkungen, ihrer verwirrenden Gestalten will Rilke mehr sein. Als Erlöser geht er nunmehr durch den Atem der Dinge und reiht sie, die Unlebendigen, ein in den Kreis des Ewig-Lebendigen. Indem er sein zartes, innerlichstes Wissen in sie hineinlegt, vollendet er sie zu dem, was sie in Wahrheit außerhalb ihres alltäglichen Gebrauches sind. Indem er sich ihnen gleichsetzt und die Maßstäbe, die wir an sie zu legen gewohnt sind, ihres zerstörenden Zufalls entkleidet, formt er zugleich an seiner eigenen Vollendung.

„Wieviele von diesen Stellen der Räume waren schon innen in mir. Manche Winde sind wie mein Sohn", — klingt es aus Orpheus — Zerstücktheit an unser Ohr und darum auch kann der immer geliebten Dinge Hohes Lied jetzt alles verkünden, wenn es auch dem kreisenden System der Welt irgend etwas herausnimmt, sei es nun eine Frucht, ein Kind, ein Engel oder auch nur der Glanz eines Spiegels.

> „Spiegel: noch nie hat man wissend beschrieben,
> was ihr in eurem Wert seid.
> Ihr, wie mit lauter Löcher von Sieben
> erfüllten Zwischenräume der Zeit.
>
> Ihr, noch des leeren Saales Verschwender, —
> wenn es dämmert, wie Wälder weit . . .
> und der Lüster geht wie ein Sechzehn-Ender
> durch eure Unbetretbarkeit.
>
> Manchmal seid ihr voll Malerei.
> Einige scheinen in euch gegangen —,
> andre schickt ihr scheu vorbei.
> Aber die Schönste wird bleiben, bis
> drüben in ihre enthaltenen Wangen
> eindrang der klare gelöste Narziss."

Also gesehen und aus einem solchen Wissen um die Geheimnisse der Dinge ersonnen sind die Sonette und Elegien Rilkes reifstes Werk. Nicht die Freude am Erhabenen, nicht die Verzauberung des Gemüts durch große Geschehnisse, kein Werben und Fordern beirrt hier den rhythmischen Aufruf menschlichen Seins.

> „Gesang wie Du ihn lehrst, ist nicht Begehr,
> nicht Werbung um ein endlich doch Erreichtes,
> „Gesang ist Dasein. Für den Gott ein Leichtes.‟
>
> (Sonette an Orpheus)

*

Es gibt Menschen, die in unbegreiflicher Opferung mitten durch die Erde gehen. Ihr Durchzug heiligt die Erde und reinigt sie. Von solcher Art war Hölderlins Opferung, von solcher die Rilkes. Die Opferung an die Erde — zu ihrer Verwandlung — war der Sinn seines Lebens.

„Novalis erwartet einzig vom Tode den Frieden, er, Rilke, glaubt an die Kraft des Lebens und nicht an den wirren Tumult der Wesen, die das Antlitz der Dinge bewegen: aber er glaubt an den gleichmäßigen fruchtbaren Lauf des Flusses, der in den Menschen und in den Dingen fließt. Viel tiefer und viel reicher ist sein Leben in der Meditation und in der Liebe, zurückgehalten von der irdischen Stimme, aber aufstrebend zu den Gesängen des Himmels.‟ (Marcel Brion.)

Diese zwiefache Heimat: — ein irdisches, bildbesessenes, aus tausend Rosen der Freude aufbrechendes Hier und ein stilles, fast fremdes und erhöhendes, uns hinübernehmendes Jenseits —, sie ist auch in den Duineser Elegien die Grundspannung, auf deren Gleichgewicht Rilkes Größe, Rilkes Kraft, Rilkes Weihe beruht. Denn noch einmal ist alles erneut: die Dialoge mit Gott, die Besonnenheit der Natur, der Haß gegen die Maschinengroßstadt, hinter deren gieriger Maskierung die Wirklichkeit in unbeachteter Einfachheit lebt, die spielenden Kinder, die Seligkeit der Kreatur, die „immer lebt im Schoße, der sie austrug", das Tal, das unter der Brücke hindurchzieht, demütig, gebückt und — die Toten. Die Toten vor allem sind es, die des Dichters Lied preist, jene, die wie Eurydike, die gestorbene, „schon aufgelöst" sind „wie langes Haar und hingegeben wie gefallener Regen und ausgeteilt wie hundertfacher Vorrat".

„Schließlich brauchen sie uns nicht mehr, die Frühentrückten,
Man entwöhnt sich des Irdischen sanft, wie man den Brüsten
milde der Mutter entwächst. Aber wir, die so
große Geheimnisse brauchen, denen aus Trauer oft
seliger Fortschritt entspringt — könnten wir sein ohne sie?"

Schon als Jüngling hatte der Dichter einmal die „Legende derer, die früh hingegangen sind, die lange Klage, die sie verdeckt, das Linos-Lied, in dem sie beisammen sind und einander nicht sehen"*) versucht und die Toten mit der Rose verglichen, deren „Lust es ist, niemandes Schlaf zu sein unter so viel Lider". Im „Schutzengel" erzählt er von einer Sterbenden:

„Sie richtete sich plötzlich auf und hob ihren Kopf, und ihr Leben schien ganz in ihr Gesicht eingetreten und hatte sich dort versammelt und stand wie hundert Blumen in ihren Zügen. Und der Tod kam und riß es ab mit einem Griff, riß es heraus wie aus weichem Lehm und ließ ihr Angesicht weit ausgezogen, lang und spitz zurück. Ihre Augen standen offen und gingen immer wieder auf, wenn man sie

*) Maurice de Guérin, Der Kentaur, übersetzt von Rilke.

154

schloß, wie Muscheln, in denen das Tier gestorben ist. Und der Mann, der es nicht ertragen konnte, daß Augen, die nicht sahen, offen standen, holte aus dem Garten zwei späte harte Rosenknospen und legte sie auf die Lider, als Last. Nun blieben die Augen zu und er saß und sah lange in das tote Gesicht. Und je länger er es ansah, desto deutlicher empfand er, daß noch leise Wellen von Leben an den Rand ihrer Züge heranspülten und sich langsam wieder zurückzogen. Er erinnerte sich dunkel, in einer sehr schönen Stunde, dieses Leben auf ihrem Gesichte gesehen zu haben, und er wußte, daß es ihr heiligstes Leben sei, das, dessen Vertrauter er nicht geworden war. Der Tod hatte dieses Leben nicht aus ihr geholt, er hatte sich täuschen lassen von dem vielen, das in ihre Züge getreten war, das hatte er fortgerissen, zugleich mit dem sanften Umriß ihres Profils. Aber das andere Leben war noch in ihr, vor einer Weile war es bis an die stillen Lippen herangeflutet und jetzt trat es wieder zurück, floß lautlos nach innen und sammelte sich irgendwo über ihrem zersprungenen Herzen. Er suchte die Hand der Toten, die leer und offen, wie die Schale einer entkernten Frucht, auf der Decke lag, die Kälte dieser Hand war gleichmäßig und stumm, und sie gab bereits völlig das Gefühl eines Dinges, welches eine Nacht im Tau gelegen hat, um dann in einem morgendlichen Wind rasch kalt und trocken zu werden. Da plötzlich bewegte sich etwas in dem Gesicht der Toten. Gespannt sah der Mann hin. Alles war still, aber auf einmal zuckte die Rosenknospe, die über dem linken Auge lag. Und der Mann sah, daß auch die Rose auf dem rechten Auge größer geworden war und immer noch größer wurde. Das Gesicht gewöhnte sich an den Tod, aber die Rosen gingen auf wie Augen, welche in ein anderes Leben schauten. Und als es Abend geworden war, Abend dieses lautlosen Tages, da trug der Mann zwei große rote Rosen in der zitternden Hand ans Fenster. In ihnen, die vor Schwere schwankten, trug er ihr Leben, den Überfluß ihres Lebens, den auch er nie empfangen hatte."

Und dieser Überfluß des Lebens, den auch er, Rilke, vielleicht niemals so rein empfangen hatte wie jetzt, wo ihm der Tod so nahe war, er steigt „vor Schwere fast wankend" aus den glorreich erstandenen Elegien empor. Denn gerade das ist dieser letzten geistigen Umarmung Wunder, daß die übersinnliche Welt in ihr, die Welt der Toten und Engel, der Sybillen und Klagefürsten, nur Gewicht hat, weil die Erde es ist, die ihr die Stufen baut.

„Gewiß ist das Leben traurig und der Mensch noch immer ungestalt. Aber Rilkes Kraft ist groß genug und er erträgt es, beides mit einer Art süßer und zarter Freude bis ins Tiefste zu ergründen." (Jean Cassou.) Oder wie Rilke selbst einmal an einen Freund schreibt:

„Ob ich in jenem Vertrauen zum Tode ... weitergekommen bin, wird sich auch nur innerhalb jener großen Arbeit zeigen können. Sie haben recht, nichts ist so unbedingt aufgegeben, wie das tägliche Erlernen des Sterbens, aber nicht durch Absagen an das Leben bereichert sich unser Wissen um den Tod, erst die ergriffene und aufgebissene Frucht des Hiesigen verteilt in uns seinen unbeschreiblichen Geschmack."

Namenlos ist der Dichter zur Erde entschlossen, zu ihr, die um die Einsamkeit seiner Jugend war, die ihn aus Rodins Gebärden befrug und auf Flügeln trug über Rußlands Ebenen.

> „Erde, ist es nicht dies, was Du willst: unsichtbar
> in uns ersteh'n? Ist es Dein Traum nicht
> einmal unsichtbar zu sein? Erde! unsichtbar!
> Was, wenn nicht Verwandlung, ist dein drängender Auftrag?

> Erde, du liebe, ich will.
> Dürfen wir fragen: sie kann's, sie kann's!
> Erde, die frei hat, du Glückliche, spiele
> nun mit den Kindern. Wir wollen dich fangen.
>
> Fröhliche Erde: Dem Frohsten gelingts.
> O, was der Lehrer sie lehrte, das Viele,
> Und was geduckt steht in Wurzeln und langen
> Schwierigen Stämmen: sie singt's, sie singt's."

Und noch einmal gilt, was von Anbeginn war: Gedanke, Klang und Bild sind eins. Denn wie anders vermöchte der „Überfluß der Erde" zu erleben sein als durch die gesteigerte Macht der alles einenden Sinne?!

Gewiß hat der Begriff der Form kaum in einer anderen Dichtung solche Spannweite wie hier, wo das Sinnliche der irdischen Gestalt in das Überrationale eines geistigen Bewußtseins gewandelt ist, wo eine schwebende Paradoxie die entgegengesetzten Sprachelemente zur mystischen „Bildlosigkeit aller Bilder" zusammenschließt, so daß „durch den Ton und Klang allein, trotz des identischen Sinnes, trotz desselben Rhythmus und gleichen Taktes eine Versgestalt überraschend und entscheidend sich ändern kann."

Nicht das Gegenständliche an dieser Lyrik ist daher ihre sichtbare Schönheit, ihre Hörbarkeit ist es, und sie — die musikalisch geläuterte Sprache — erhebt auch die Kreaturliebe wieder, in einem höheren Sinne, als ihn das „Stundenbuch" zu erfüllen vermochte, zur Gottesliebe. Denn alles Irdische, so tief Rilke es lebt, so selbstvernichtend er in seine Leiden eingeht, so mütterlich er es in Liebe umfängt, gilt nur mehr als Symbol des Wesentlichen, das sich in uns als inneres Leben entfaltet.

„Alles will schweben. Da gehn wir umher wie Beschwerer,
legen auf alles uns selbst, vom Gewichte entzückt,
oh, was sind wir den Dingen für zehrende Lehrer,
weil ihnen ewige Kindheit glückt.
Nähme sie einer ins innige Schlafen und schliefe
tief mit den Dingen —: oh, wie käme er leicht,
anders zum anderen Tag, aus der
gemeinsamen Tiefe."

★

RILKES SPRACHKUNST

Und noch einmal sei es gesagt: Geheimnis und Erfüllung
dieser „Lyrik aus dem Geiste der Musik", wie sie Rainer
Maria Rilkes letzte Dichtungen darstellen, ist die Sprache.
Denn die Sprache gehört so unbedingt zum Dichter, daß
ohne ihre Sanktion keiner einer sein kann.

Die Sprache ist die Erstgeborene der Weisheit, die wunderbar geschaffen ist, gleich dem Menschen selber, aus Sicht-
barem und Unsichtbarem, Endlichem und Unendlichem,
Sinnlichem und Geist.

Es bedarf daher auch keines besonderen Hinweises darauf,
daß Rilke erst nach langen Kämpfen dazu kam, die Sprache
— seine Sprache — in ihrer wahren Größe und umschaffenden Gewalt zur Erscheinung zu bringen. Er mußte erst wie
Orpheus in die Unterwelt hinabsteigen, um das Leben daraus zurückzubringen. Denn wenn er über den Wortschatz
der lyrischen Gebrauchspoesie hinausgreifen wollte, durfte
er nicht bei der Sichtung und Erforschung der konservativen
deutschen Sprachmöglichkeiten stehen bleiben. Er hatte deren Bestand selbst zu vermehren. Deshalb gliederte er dem
schöpferischen Formprozeß vor allem einmal Fremdwörter,
termini technici und jene bisher übersehenen Worte ein, die
im Alltag darben und „die noch niemals im Gesang gegangen". Unscheinbares Sprachgut weckte er aus seinem
Dornröschenschlaf und Gleichnisse ließ er Triumphe feiern,

die „so schauernd noch nie im Lied geschritten". Dies alles aber wirkte er ohne Hast und ohne Gewalt, auch nicht etwa aus Effekthascherei, Snobismus oder Neuerungssucht, sondern aus dem schmerzlichen Bewußtsein heraus, daß die Sprache gerade das Wertvolle, Persönliche, Eigene vernachlässigte oder sich gar seinen Ansprüchen versagt.

> „Ich will immer warnen und wehren: bleibt fern.
> Die Dinge singen hör' ich so gern.
> Ihr rührt sie an: sie sind starr und stumm,
> ihr bringt mir alle die Dinge um."

Wie jene nächtlich wandernden Maler, denen die aufflammende Schönheit der Nacht unsagbar erscheint und nur durch stummen Fingerzeig zu erschließen, so war auch Rilke, aus Ehrfurcht vor der Verschlossenheit der Erde, ein Deuter ihrer Wunder. Mit Worten, die „noch zart vom Unsäglichen ausgehen", Unsagbares zu öffnen, — mit Klangzeichen, hinter deren verschwebenden Konturen erst der Sinn dämmert, Undeutbares spürbar zu machen, erschien seinem künstlerischen Formwillen das höchste überhaupt erreichbare Ziel. Er glaubte daher auch, nur vom Fernsten, Zartesten her sich den Zugang zu den verborgenen Quellen der Sprache schaffen zu können, indem er in Geduld vor allem jene Laute mit ihrem unerhörbaren Zauber rettete und jene Worte wieder vernehmbar machte, die der Menge Stempel entweiht hatte. Denn er wußte, daß die Sprache ein Kristall ist, das man immer und immer wieder von neuem aus den tiefsten Schächten bergen muß, ein Edelstein, den lange Dunkelheit umschmeichelt, damit er, endlich ans Licht gehoben, in seinem unverbrauchten Glanze aufstrahlen kann.

Es war die geheime Arbeit Rilkes während seines ganzen Lebens, auf solch handwerklich-ehrfürchtige Weise die Grenzen der Sprache weiterzustecken. Eine Arbeit um so mehr, da das Ausdrucksmittel, das ihm zur Verfügung stand, die deutsche Sprache war. Denn diese Sprache meistern bedeutet eine unerhört kühne, selbstlose und harte Entdeckerfahrt, eine Entdeckerfahrt, die mitunter bittere Verkennung dem einträgt, der sie wagt.

Andere Völker haben schon seit Jahrhunderten eine ausgereifte, zu jedem Gebrauch gleichsam fertige Sprache, und die Aufgabe ihrer Dichter bestand darin, diese vollendete, „klassische" Sprache nicht erstarren zu lassen, sondern sie jeweils mit persönlichem Blut und Rhythmus zu füllen. Wir Deutschen dagegen arbeiten noch heute an unserer Sprache und werden immer daran arbeiten müssen, aus dem endlos bewegten Sprachmeer die Welle zu kristallener Kugel zu ballen oder, wie Ernst Bertram einmal bemerkt, „dem Chaotischen das Bild, dem musikalisch und vieldeutig Rauschenden die klare, einmal umrissene Gestalt zu entreißen."

Aus solcher Erkenntnis heraus hat sich auch Rainer Maria Rilke mit einer bisher unerhörten Kraft der Intimität um die Rätsel der deutschen Sprache bemüht und ihre transzendente Großartigkeit: das Jenseits des Logischen, das Mystische, Ewig-Sybillinische an ihr mit dem sinnlich-gegenständlichen Blutstrom des Lebendigen, der ihm in Erinnerung an das romanische Ideal als erreichbare Größe vorschwebte, zu versöhnen gesucht. Denn ganz Funktion wie er war, wußte er, daß die Einverleibung fremden Sprachbluts das beste Mittel ist, wodurch von einer höheren Ebene aus der Erneuerung der eigenen Sprache bewerkstelligt werden kann. Daher übersetzte er auch, um sich gleichsam im Sinne Rodins an einem objektiv gegebenen Material zu üben, die Werke großer ausländischer Dichter, so u. a. die kostbare Louise Labé, die Lyoneser Lyrikerin der Renaissance, dann

die sogenannten Sonette des „überirdischen" Liebespaares
Barret-Browning, von Maurice Guérin den „Kentaur", von
André Gide „Die Rückkehr des verlorenen Sohnes", Paul
Valérys Gedichte und die Sonette Michelangelos. Auch hier
sich einfühlend, entsagend, mitschwingend, wofür ein Bei-
spiel aus den Sonetten der Louise Babé sprechen möge:

I.

Die Übersetzung Rudolf H. Bindings

O braune Augen, Blicke abgewendet,
O heiße Seufzer, o vergossene Tränen,
O dunkle Nächte hingebracht in Sehnen,
O lichte Tage nutzlos hinverschwendet.

O Traurigkeit, o endloses Begehren,
O Stunden die vertan, wehes Entsetzen,
O tausend Tode rings in tausend Netzen.
O schlimmre Qualen noch mich selbst verzehren.

O Lächeln, Stirn, Haar, Hände — mich verzückend,
O Stimme, Laute, Geige, — mich berückend:
So viele Flammen für ein schmelzend Weib!

Dich klag ich an, der du die Feuer fachtest,
mit Brand und Brand mir nach dem Herzen trachtest:
Kein Funke fiel davon auf deinen Leib.

II.

Die Übertragung Rainer Maria Rilkes

O braune Augen, Blicke weggekehrt,
verseufzte Lust, o Tränen hingegossen,
Nächte, ersehnt, und dann umsonst verflossen,
und Tage, strahlend, aber ohne Wert.

O Klagen, Sehnsucht, die nicht nachgibt, Zeit
mit Qual vertan und nie mehr zu ersetzen,
und tausend Tode rings in tausend Netzen,
und alle Übel wider mich bereit.

Stirn, Haar und Lächeln, Arme, Hände, Finger.
Geige, die aufklagt, Bogen, Stimme — ach:
ein brennlich Weib und lauter Flammenschwinger.

Der diese Feuer hat, dir trag ich's nach,
daß du mir so ans Herz gewollt mit allen,
und ist kein Funke auf dich selbst gefallen."

Ich glaube, es ist bezaubernd, mit welcher Gewalt und
Bescheidenheit in dieser Übertragung Rainer Maria Rilkes
bis in die letzte Silbe hinein der Dur-Ton des Originals getroffen ist, nach außen fest und glatt, nach innen glühend
und dennoch unerschütterlich.

Hier ist kein Bild, das fremdem Besitz entnommen wäre,
kein Laut anders denkbar, als er in dieser Fügung lebt.
Unmerklich und ohne einen Übergang fühlen zu lassen,
wandelt der Dichter wie ein Magier aus einer Sprachdimen-
sion in die andere, als sei es ihm ein Leichtes, ein täglich
Gewohntes, im Lied zweier Völker zu leben: und doch wissen wir, welch harte Arbeit, welche Gründlichkeit allein ihn
befähigte, den äußersten Zusammenklang von Original und
Übertragung, von Idee und Form so vollendet zu erreichen.

Eine kleine Anekdote, die André Gide in den „Inciden-
ces" mitteilt, erzählt uns u. a. von Rilkes Übersetzertätig-
keit:

„Der Dichter kam gestern morgen und legte mir einige
Stellen seiner Übersetzung von „L'enfant prodigue" vor, die
ihn aber nicht befriedigten ... Beglückt, in meiner Biblio-

thek das große Wörterbuch von Grimm zu entdecken, schlug er unter „Hand" nach und vertiefte sich in ein geduldiges Studium, dem ich ihn einige Zeit überließ. Er wollte mehrere Sonette von Michelangelo übersetzen und erzählte mir von den Schwierigkeiten, die er mit dem Worte „Palma" habe, und wie erstaunt er gewesen sei, zu entdecken, daß die deutsche Sprache wohl ein Wort habe, das den Rücken der Hand bezeichne, nicht aber eines für das Innere der Hand. — „Man könnte höchstens Handfläche — la plaine de la main — sagen." „Das Innere der Hand soll eine Fläche sein!" rief er. „Dagegen ist Handrücken ganz gebräuchlich. Man betrachtet also den Rücken der Hand, diese Außenseite, die ohne Interesse, ohne Persönlichkeit, ohne Gefühl, ohne Sanftheit ist, diese Oberfläche, die gerade das Gegenteil des warmen, zärtlichen, liebkosenden Innern ist, in dem das ganze Geheimnis des Individuums liegt." Beim Durchblättern des Grimm entdeckte er schließlich das Wort „Handteller" mit einigen Beispielen, die dem 16. Jahrhundert entliehen waren. „Aber", sagte er, „das ist das Innere einer Hand, die sich öffnet um zu bitten, zu betteln, zu sammeln. Welch ein Geständnis für die Unzulänglichkeit unserer Sprache!"

Darf es uns bei diesem brüderlichen Verhältnis zur Sprache, bei dieser vorsichtig wägenden und unermüdlich prüfenden Liebe zum „gewirkten Wort" wundern, wenn der Dichter noch einen Schritt weitergeht und selbst französische Verse schreibt.

„Vergers" und „les roses" nennt Rilke seine beiden schmalen, mit allen Liebenswürdigkeiten seiner poetischen Natur bis zum Rande gefüllten französischen Gedichtebände, wovon der eine — „Les roses" — erst nach seinem Tode erschienen ist.

Alte, an die ersten deutschen Versuche erinnernde Motive stehen wieder vor uns auf, nur eben in einer anderen, sehr verhaltenen, klangreichen und rhythmischen Sprache, die, so fremd sie dem Beginnenden war, zuletzt doch wie seine eigene erklingt: Ein Schmetterling taumelt durch den Obstgarten. Fontänen sprühen ihre silbernen Tänze. Die Linien der Handfläche ziehen wie Sternenbahnen. Auch die Rose, die thronende, erscheint wieder „wie Kleidung um Kleidung um einen Leib aus nichts als Glanz".

Es genügt, ein Gedicht wie „Chemins" im Original und in der Übersetzung zu lesen, um spontan inne zu werden, wie tief Rilke sich eingelebt hat in den Geist der französischen Kunstsprache.

> „Chemins qui ne ménent nulle part
> entre deux prés,
> que l'on dirait avec art
> de leur but detourné,
> chemins qui souvent n'ont
> devant eux rien d'autre en face
> que leur pur espace
> et la saison."

> „Solche Wege führen nirgendhin,
> zwischen Wiesen,
> sie scheinen mit Sinn
> ihres Zieles verwiesen,
> und sie haben vor sich kaum
> anderes als weit
> den hellen Raum
> und die Zeit."

Solche Gedichte sind der überzeugendste Beweis für die organische Vollkommenheit von Rilkes lyrischer Begabung. Denn weder technische Fertigkeit noch geistige Anpassungsfähigkeit vermögen so die Stimmung eines einzigen, nie wiederkehrenden Augenblicks in einer ursprünglich nicht gewohnten Ausdrucksform wiederzugeben. Daher empfand auch das literarisch interessierte Frankreich sofort, daß hier ein ganz reifer Dichter am Werk ist, ein Dichter, der es wert ist, in die Welt der romanischen Erscheinungen einbezogen zu werden.

„Als ich begonnen hatte mit Rilke zu plaudern, schien es mir, daß ich zum ersten Male mit einem Dichter spräche. Ich will sagen, daß die anderen Dichter, denen ich mich nähern konnte, so groß sie auch sein mochten, Dichter nur vermöge ihres Geistes waren, außerhalb ihrer Arbeit lebten sie mit denselben Menschen, in derselben Welt wie ich, wenn ich beim Zuhören eine Überraschung empfand, so war sie nur intellektuell... aber in dem Maße, in dem Rainer Maria Rilke weitersprach, sanft und mit einer wunderbaren Beherrschung des Französischen, die aus ihm beinahe einen französischen Dichter gemacht hat, führte er mich in seine eigene Welt ein, in die ich nur wie durch eine Art Wunder eindringen durfte. Das Feenhafte, Phantastische wuchs unter seinen Worten. Mit ihnen entrann ich endlich der Hölle des Logischen, dem Labyrinth des Möglichen." (Edmond Jaloux.)

Mit dieser psychologisch feinsinnigen Feststellung begann Frankreichs Beschäftigung mit Rainer Maria Rilke. Man schrieb über ihn, man diskutierte über ihn, man suchte Unterredungen mit ihm oder unternahm es, seine wachsende Popularität kritisch und politisch zu begründen.

Zu einem Epitaph „in der rechten Stunde zwischen Leben und Tod" wurde allerdings erst jenes schmale Heft der „Cahiers de mois", das Frankreichs Dank an Rilke in der Form einer Festgabe seiner jungen Dichter zusammenfaßte. In den verschiedensten Zusammenhängen, bald in skizzenhafter Form, bald aphoristisch gedrängt, sprechen hier Felix Barteaux, Marcel Brion, Jean Cassous, Daniel Rops, Geneviève Bianquis — um nur einige Namen zu nennen — aus Erinnerungen und Augenblicken einer innerlichen Verwandtschaft von Leben und Werk des Dichters, der, weil er ein großer Sprachkünstler gewesen war, auch in der Sprache ihres Landes gesungen und geschrieben hatte. Zwar bleibt das Bildnis, das sie von Rilke entwerfen, nur ein Torso, aber seine Gebärden sind so hell umrändert und so fein in der Modellierung, wie man sie schöner und herrlicher auch in der Vollendung des Todes nicht erschauen kann.

*

Was aber war es wohl, was dem Dichter so plötzlich, so überraschend die Zuneigung des literarischen Frankreich einbrachte, trotzdem von seinen Werken fast nur die „Aufzeichnungen des Malte Laurids Brigge" ins Französische übersetzt waren? Die Tatsache allein, daß Rilke französische Verse schrieb, kann unmöglich der Grund einer so ernsten Sympathie gewesen sein. Maurice Betz, einer der Mitarbeiter der „Reconnaissance à Rilke" erblickt die unerwartete Aktualität Rilkes in Frankreich in der Verwandtheit der „langue prêtée" mit der ebenfalls nach Bauernregeln funktionierenden Sprache Rilkes. Er sagt u. a.: „Eine Stunde, in der die französische Dichtung auf der einen Seite zu Mallarméschen Spielen von erstarrter Vollkommenheit neigte und wo sie auf der anderen Seite mit dem Surrealismus nicht mehr als ein bloßes Objekt der Erfahrung sein will, erschien uns ein Dichtwerk, dessen tief menschlicher Klang und dessen Sensibilität uns erschüttern mußte, während uns zugleich die unendlichen Nuancen einer Kunst verführten, die durch Zartheit einer Plastik ohne Fehler, zu einer lateinischen Tradition kam. Dieses Werk erschien uns nicht in seiner langsamen Entwicklung, die es nach und nach möglich gemacht hat, sondern organisch als ein lebendiges Ganzes in einem wesentlichen und vollkommenen Bild wie das wundervolle Aufblühen einer einzigen Nacht. Also staunt der Bewohner eines Landes nicht mehr über die vertraute Gegend, aber der Fremde, plötzlich vor die unbekannte Landschaft gestellt, hält geblendet an."

Diese Urteile lassen sich leicht um ähnliche vermehren. So schreibt André Germain: „Rilke ist fast der einzige in unserer Zeit, der aus jenem Waldesdunkel kommt, das über den edelsten und geheimnisvollsten Teilen der Gegend über dem Rheine liegt. Er hat das reine Herz eines Kindes, ein unsäglich zartes Gefühlsleben, eine künstlerische Empfindlichkeit, die sich nie zufrieden gibt, ein nie aussetzendes Sehnen. Er scheint weder den Menschen noch Gott ganz gefunden zu haben, noch die Lebenserfahrungen, die mit dieser Erde erst aussöhnen, noch schließlich die Wahrheiten, die endgültig freimachen. Aber im wallenden Nebel führt sein Weg dahin auf der Feenwiese, zart, schön und aufrichtig."

Es war für das junge Frankreich gewiß nicht leicht, einem Dichter wie Rilke gerecht zu werden. Vielleicht hat kein anderer so viel von ihm gewußt, so viel von seinem Wesen gespürt und begriffen wie der feine, geisterfüllte Paul Valéry, der mit dem Dichter bis zur Stunde des Todes in edler Freundschaft verbunden war. So oft er von Rilke spricht, immer spüren wir eine ernste, durchaus unpolitische Haltung, ein reifes, einfühlendes Verstehen und nicht zuletzt eine tiefe, menschliche Liebe, die verrät, daß er selbst umdrängt ist von Einfällen, Verführungen und Erleuchtungen,

so daß ihm keine Zeit bleibt, über literarpolitische Tages-
fragen nachzudenken. Daher sagt Valéry auch immer Um-
fassenderes und Sachlicheres als die Mehrzahl seiner leiden-
schaftlichen, zwischen Anti- und Sympathie schwankenden
Confrères. Er sieht eben mit den Augen des Glaubens, der
auf Anschauung beruht, und darum richtig.

Wenn das Wort „magisch" einen Sinn hat, so möchte ich
sagen, daß Rilkes ganze Person, sein Blick, sein Benehmen,
alles an ihm den Eindruck einer magischen Gegenwart er-
weckte. Es schien, als vermöchte er jedem seiner Worte die
Macht seines Zaubers zu geben. Deshalb vielleicht erschien
er mir oft so wesensverschieden und manchmal so schwer
begreiflich. Ohne Zweifel hatte er seinen Geist in eine ganz
entgegengesetzte Richtung entwickelt, als ich den meinen
gelenkt und lange geschult hatte. Vielleicht war es auch eine
Frage der Herkunft. Er hatte von seiner Kindheit und Jugend viel wesenhaftere und tiefere Erinnerungen bewahrt,
als es die meinen waren, und sie blieben so lebendig, daß das
geistige Leben des schon gereiften Mannes ganz davon
durchdrungen war. Seine sehr schönen Augen sahen, was
ich nicht sah: Vorahnungen, Zeichen und Zwischenzeichen,
bezeichnende Übereinstimmungen, Mahnungen zur Tat und
zur Unterlassung bei vielen Ereignissen, die mir nicht solcher Empfindsamkeit wert erschienen.

Dreizehn Wochen vor seinem Ende haben wir fast einen
ganzen Tag am Ufer des Genfer Sees miteinander verlebt.
Im Park eines Freundes, wo ich ihn empfing, haben wir
stundenlang geplaudert. Er hatte soeben die deutsche Übersetzung meiner „Narziß"-Dichtung vollendet. Er hatte sie
in Lausanne einigen Freunden vorgelesen und sagte mir, er
sei damit sehr zufrieden. Ich antwortete, ich sei sehr traurig, seine Sprache nicht zu verstehen. Mein großes Glück,

von einem solchen Mann übersetzt zu werden, müßte eine abstrakte Freude bleiben, da ich nur vom Hörensagen die schöne Arbeit genießen könnte, die er meinem Werke gewidmet. Dann sprach ich mit ihm über das Narziß-Thema, das wohl das einfachste aller möglichen dramatischen Themen darstellt.

Etwas mehr als zwei Monate später kam das Unglückstelegramm aus Valmont. Ich war noch ganz im Bann der Erinnerung an seine Abfahrt auf dem kleinen weißen Dampfer, der mit seinen Rädern das blaue Wasser schlägt und in seiner Furche den Zipfel und den flimmernden Widerschein seiner roten Flagge mit dem weißen Kreuz hinter sich herzieht. Wir waren beglückt von diesem Tag und winkten mit den Taschentüchern. Ich hatte ihn niemals so gesund gesehen.

Oft habe ich seither an diesen vollkommenen Nachmittag gedacht. Mit dieser Erinnerung verbindet sich die Trauer, Rilkes Aufenthalte in Paris so selten benutzt zu haben zu vertiefter Fühlung. Meine Zeit war bemessen und wir wohnten sehr weit entfernt. Es bestand zwischen uns eine Art Anziehung und zugleich jene sozusagen „transzendente" Verschiedenheit, die ich eingangs erwähnte. Aber schließlich waren wir, er und ich, „gute Europäer". Denn allmählich und unmerklich war Rilke zum Bürger des intellektuellen Europa geworden. Eine starke Verwandtschaft verband ihn mit der slawischen Rasse, er war ein tiefer Kenner Skandinaviens, und gegen den Westen hin stand er der französischen Kultur so nahe, daß ich ihn leicht verlocken konnte, Gedichte in unserer Sprache zu schreiben und zu veröffentlichen." — — —

Wir wissen, wie sehr man dem Dichter, der seine französischen Versuche selbst nur als kleine „Ingres-Violine aus zweifelhaftem Kirschbaumholz" bezeichnete*), diesen „Vaterlandsverrat" verübelte, — wissen, wie selbst diejenigen, für die er in der deutschen Sphäre fast eine neue Sprache entdeckte, ihn darob einen Bohémien nannten und die Lauterkeit seines Charakters anzweifelten, weil er — auch französisch schrieb. Diese allzu eifrigen Wächter des Vaterlandes dachten nicht daran, von was für einem Wert Rilkes Bemühungen allein schon für die Steigerung seiner Ausdrucksfähigkeit sein mußten. Indem der Dichter die fremde Sprache als ein ganz neues, noch nie gespieltes Instrument empfand, das ungeahnte Möglichkeiten barg, lernte er — nicht als Theoretiker, sondern als Praktiker — die mächtige, von dem Reiz einer endlosen Bewegung durchflutete Magie der deutschen Sprache an der kristallklaren, lächelnd skeptischen, pfeilschnellen romanischen Sprache messen. Dabei mußte er erkennen, daß die deutsche Sprache den anderen Sprachen wohl an begrifflicher Fülle überlegen ist, an sinnlicher und gegenständlicher Geschmeidigkeit jedoch noch gewinnen dürfte. Aus dieser Einsicht heraus strebte Rilke in seiner eigenen schöpferischen Tätigkeit nach einer Steigerung seiner sprachlichen Mittel: nach sinnlich hellerer Fülle, dichterer Kraft des Abtönens, rascherem Ton- und Tempowechsel, und erreichte so die für seinen Altersstil charakteristische, äußerste Sublimierung der Sinnlichkeit, in der Sinnlichkeit zum Geist wird und doch die ganze herrliche Stärke ihrer Naivität behält.

Aber selbst abgesehen von diesem formalen Gewinn, den Rilke aus seiner praktischen Betätigung als Verfasser fran-

---

*) Violon d'Ingres = Metapher für die dilettantischen Versuche eines Meisters in einem fremden Fach, das er nicht beherrscht.

zösischer Verse davontrug, ist es auch sachlich ganz und gar unberechtigt, dem „doppelzüngigen" Dichter Anklagen des Hasses entgegenzuschleudern. Er selbst schreibt einmal darüber: „Welch eine Unsinnigkeit, mir zu insinnuieren, ich hätte je behauptet, kein deutscher Dichter zu sein. Die deutsche Sprache wurde mir nicht als Fremdes gegeben: sie wirkt aus mir, sie spricht aus meinem Wesen. Konnte ich an ihr arbeiten, konnte ich sie zu bereichern suchen, wenn ich sie nicht als ureigenstes Material empfand? Daß ich einige Verse französisch abfaßte, war lediglich ein Versuch, ein Experiment in einer anderen Klanggesetzen folgenden Formgebung! Beherrschte ich noch einige Sprachen in gleichem Maße, ich würde den Versuch in ihnen wiederholen. Aber daraus zu folgern, daß ich nun nicht mehr als deutscher Dichter fühlte, ist ein Nonsens. Ich bin, was ich leiste. Und ist es denn nach allem, was ich in deutscher Sprache veröffentlicht habe, überhaupt nötig, meine Zugehörigkeit zu deutscher Dichtung zu betonen?"

Diese Briefstelle ist der Kernpunkt, von dem wir in unserem Anwaltsprotest gegen die „politische" Behandlung Rilkes anzugehen haben, denn wenn auch die europäischen Grundrißseiten seines Werkes in der Richtung gegen Verlaine, Tolstoj, Jakobsen gezogen sind, so ist doch andererseits schon längst auch die gegen die deutsche Gotik und musikalische Romantik geöffnete Seite seines Wesens allen ernsthafteren Beurteilern klar geworden. Daher ist es auch töricht, ihm gegenüber zu fragen, ob er jenem Lande angehört, das von jeher die Welt als Fuge aus vielen besonderen Stimmen erlebte, oder jenem anderen, das alles Wirkliche und Wirkende den logischen Gesetzen einer souveränen Vernunft unterworfen sehen möchte. Denn nicht ob Rilke dem Volke Herders oder dem Volke des Esprit classique angehört, ist von entscheidender Bedeutung, sondern daß er in Wahrheit ein großer Europäer gewesen ist.

In Deutschlands Seele, d. h. in den Seelen der besten Deutschen, wurden von jeher die geistigen Gegensätze Europas ausgetragen, im natürlichen und im kämpferischen Sinne. Und welch anderer Fall der Gegenwart dürfte dies deutlicher bestätigen als der Rainer Maria Rilkes! Hat doch gerade er in seinem sinnbildlichen Wirken die Gegensätze zwischen östlicher Religiosität und westlicher Kunst, wenn auch auf eine sehr einsame und persönliche Art versöhnt.

Und in dieser Erfülltheit mit einer deutsch-europäischen Sendung, in dieser Richtungsbestimmtheit über die engeren Grenzen seiner eigentlichen Heimat hinaus ist Rilke — es sei noch einmal gesagt — deutsch wie kein anderer seiner Zeitgenossen, so ungriechisch abseits, so staatenlos immer, so losgelöst von völkischer Gemeinschaft er auch gewesen ist.

„Uns überfällts. Wir ordnens. Es zerfällt. Wir ordnens wieder und zerfallen selbst."

Das ist's, daß er die Sprache ordnet, daß er ihren unermeßlichen Raum als Ordner durchmißt, wofür der Name Orpheus nur ein anderes Wort ist, daß er jedem Laut, jedem Hauch seinen einmaligen unerhörten Klang verleiht, was ihn vor uns, vor sich selber verteidigt, da man ihm, dem letzten deutschen Sprachschöpfer den Vorwurf der Undeutschheit macht. Bedarf es angesichts einer solchen Sprache, die in ihrem restlosen Ineinanderaufgehen, widerstrebender Tendenzen, in ihrer großartigen Identität von Geistigkeit und Sinnlichkeit, von Welterleben und Jenseitstaumel, von Musikalität und Dialektik wie keine andere deutsch ist, noch der Verteidigung eines Mannes, der überdies — nach seinem eigenen bekenntnishaften Wunsche — in der letzten deutschen Gemeinde begraben wurde, die an das welsche Wallis grenzt? Gibt es überhaupt eine Berechtigung zu Vorwürfen einem Dichter gegenüber, dem Dichtkunst mehr war als eine nationale, dem sie eine menschliche Aufgabe war? Einem Dichter, der ein Drittel seines Lebens romanische Luft geatmet hat, der von Auguste Rodin gelernt, ja in der äußersten Peripherie seines Schaffens von dem geistespolitischen Prediger des Ostens ausgegangen ist? Und ist selbst das Können, das ihn befähigte, deutschen Genius aus französischer Form reden zu lassen, nicht zugleich — über den persönlichen Beweis der Größe hinaus — ein untrügliches Zeugnis deutschen Weltgefühls, das von jeher auch fremde Anregungen beachtete und sie eindeutschte, auf daß sie Blut von unserem Blute wurden und Geist von unserem Geiste?

Ob wir diese unsere Charaktereigenschaft bejahen oder bekämpfen, sie ist nun einmal die tragende Kraft unserer Geschichte. Nur engstirniger, einseitig rassisch und nationalistisch orientierter Ungeist konnte den Versuch machen, uns von dieser der Menschheit gewidmeten Aufgabe abzulenken. ... Auch sie ist eine Art Germanisierung, anders freilich als die Kolonisationsarbeiten der Bürger und Bauern und die Taten der Hanse, auch sie ist eine Weltliteratur, anders freilich als Goethe sie erträumt, aber eine nicht mindere Auswirkung deutschen Geistes.

G. M.Z.F.O.
Visa Nr. 1616/L
de la Direction de l'Education Puplique.
Autorisation Nr. 3.121
de la Direction de l'Information.